S0-BJP-357

LA VISION DE MATTHIEU

(Matth. XXIV-XXV)

Bibliothèque des Cahiers Archéologiques

Sous ce titre est publiée une collection d'ouvrages qui, placée sous la direction de MM. André GRABAR et Jean HUBERT, comme les *Cahiers Archéologiques,* réunit des études concernant l'archéologie et l'histoire de l'art de la fin de l'Antiquité et du Moyen Age. Ces études se réclament ainsi du même domaine que les articles publiés dans les *Cahiers Archéologiques,* mais elles ont beaucoup plus d'ampleur. Il s'agit généralement de monographies et plus exceptionnellement de recueils de recherches moins considérables, mais qui obéissent à une inspiration commune. Plusieurs de ces livres sont des Thèses de doctorat ès-lettres ou de 3e Cycle.

VOLUMES PARUS :

Tome I. — Suzy DUFRENNE (1966). — *L'illustration des psautiers grecs du Moyen Age,* I, Pantocrator 61, Paris. Grec 20, British Museum add. 40731. 23 × 31 cm, 66 pages, 60 planches en noir (219 fig.) et 2 planches en couleurs (13 fig.).

Tome II (1968). — *Synthronon. Art et archéologie de la fin de l'Antiquité et du Moyen Age.* Recueil d'études par André GRABAR et un groupe de ses disciples. 23 × 31 cm, 248 pages, 232 figures.

Tome III. — Gordana BABIĆ (1969). — *Les chapelles annexes des églises byzantines. Fonction liturgique et programme iconographique.* 23 × 31 cm, 192 pages, 135 planches.

Tome IV. — Suzy DUFRENNE (1970). — *Les programmes iconographiques des églises byzantines de Mistra.* 23 × 31 cm, 81 pages, 35 planches, 89 figures et dessins.

Tome V. — S. DER NERSESSIAN (1970). — *L'illustration des psautiers grecs du Moyen Age,* II. Londres, Add. 19352. 23 × 31 cm, 118 pages, 119 planches dont 1 en couleurs, 334 figures.

Tome VI. — Tania VELMANS (1971). — *Le Tétraévangile byzantin de la Laurentienne,* Laur. VI, 23. 23 × 31 cm, 56 pages, 301 figures en 64 planches.

Tome VII. — A. KHATCHATRIAN (1971). — *L'architecture arménienne du IVe au VIe siècle. Répertoire des monuments.* 23 × 31 cm, 126 pages, 176 figures en 40 planches.

Tome VIII. — A. GRABAR (1972). — *Les manuscrits grecs enluminés de provenance italienne (IXe-XIe siècles).* 23 × 31 cm, 104 pages, 362 figures en 92 planches.

Tome IX. — J. LASSUS (1973). — *L'illustration byzantine du Livre des Rois (Vat. graec. 333).* 23 × 31 cm, 92 pages, 36 planches en noir (126 fig.) et 2 planches en couleurs (4 fig.).

VOLUME EN PRÉPARATION :

Tome XI. — T. VELMANS. — *La peinture murale byzantine à la fin du Moyen Age.* Tome 1.

ARCHÉOLOGIE PALÉOCHRÉTIENNE :

Geneviève MORACCHINI-MAZEL (1967). — *Les monuments paléochrétiens de la Corse.* 23 × 31 cm, 176 pages, 142 planches, 3 plans.

Bibliothèque des Cahiers Archéologiques
PUBLIÉE SOUS LA DIRECTION D'ANDRÉ GRABAR ET DE JEAN HUBERT
X

YVES CHRISTE

LA VISION DE MATTHIEU
(Matth. XXIV-XXV)

Origines et développement d'une image de la Seconde Parousie

(ΒΑΣΙΛΕΙΑ ΤΟΥ ΘΕΟΥ, t. I)

OUVRAGE PUBLIÉ AVEC LE CONCOURS DU FONDS NATIONAL SUISSE DE LA RECHERCHE SCIENTIFIQUE

ÉDITIONS KLINCKSIECK
PARIS

1973

2,2602
+C 463

200683

« La loi du 11 mars 1957 n'autorisant, aux termes des alinéas 2 et 3 de l'article 41, d'une part, que les « copies ou reproductions strictement réservées à l'usage privé du copiste et non destinées à une utilisation collective » et, d'autre part, que les analyses et les courtes citations dans un but d'exemple et d'illustration, « toute représentation ou reproduction intégrale, ou partielle, faite sans le consentement de l'auteur ou de ses ayants-droits ou ayants-cause, est illicite » (alinéa 1er de l'article 40).

« Cette représentation ou reproduction, par quelque procédé que ce soit, constituerait donc une contrefaçon sanctionnée par les articles 425 et suivants du Code pénal. »

ISBN 2-252-01524-1
© Éditions Klincksieck, 1973.
Imprimé en France

AVANT-PROPOS

Multa praetereo quae de ultimo iudicio ita dici videntur, ut diligenter considerata reperiuntur ambigua vel magis ad aliud pertinentia...
De civitate Dei, XX, 5 (413).

*Ceci constitue le premier volet d'une étude plus générale en forme de diptyque, dont la seconde partie, actuellement en chantier, aura pour objet les origines et le développement des visions de l'*Apocalypse. *Ce premier manuscrit a été déposé, en octobre 1971, auprès de la Commission du Fonds national suisse pour la Recherche scientifique, et c'est avec l'appui et des subsides substantiels de cet organisme que cette étude a pu être entreprise et publiée. A l'occasion de sa publication, il m'est donc agréable de remercier les membres de sa Commission et en particulier MM. D. van Berchem, H.R. Hahnloser et O. Reverdin, son président, de l'aide, et des conseils précieux et essentiels, que toujours ils me fournirent. Je remercie également mes directeurs scientifiques étrangers, en premier lieu M*[lle] *M.T. d'Alverny et M. A. Grabar, sans lesquels cette étude n'aurait jamais vu le jour, ainsi que mes maîtres et amis romains et parisiens, M*[mes] *L. Brion-Guerry et N. Thierry, MM. J.M. Guarrigues, G. Ineichen, J. Lassus, C. Lepage, R. Roques et V. Saxer, auprès desquels, tant dans le cadre de la V*[e] *section de l'EPHE que dans celui de* L'Istituto svizzero di Roma, *j'ai poursuivi, et dans les conditions les meilleures, cette enquête que MM. A. Grabar et J. Hubert, ainsi que les Éditions C. Klincksieck à Paris ont bien voulu accueillir dans la* Bibliothèque des Cahiers Archéologiques.

La Loye, juin 1972

ABRÉVIATIONS

BZ	*Byzantinische Zeitschrift,* Leipzig-München.
CC. lat.	*Corpus Christianorum, series latina,* Turnhout-Paris, 1953 et suiv.
CSEL	*Corpus Scriptorum Ecclesiasticorum Latinorum,* Wien, 1866 et suiv.
DACL	*Dictionnaire d'archéologie chrétienne et de liturgie,* F. CABROL, H. LECLERCQ, H. MARROU éd., Paris, 1907-1953.
DHGE	*Dictionnaire d'histoire et de géographie ecclésiastique,* Paris, 1909 et suiv.
DOP	*Dumbarton Oaks Papers,* Cambridge, Mass., 1941 et suiv.
DSAM	*Dictionnaire de spiritualité ; ascétique et mystique,* M. VILLERS éd., Paris, 1937 et suiv.
Jahr. AC	*Jahrbuch für Antike und Christentum,* Th. KLAUSER éd., Münster/W., 1958 et suiv.
JS	*Journal des Savants.*
RAC	*Rivista di archeologia cristiana,* Rome, 1924 et suiv.
RLAC	*Reallexikon für Antike und Christentum,* Th. KLAUSER éd., Stuttgart, 1950 et suiv.
RLBK	*Reallexikon zur byzantinischen Kunst,* K. WESSEL éd., Stuttgart, 1963 et suiv.
RM	*Mitteilungen des Deutschen Archäologischen Instituts, Römische Abteilung,* Rom, 1866 et suiv.
RPAA	*Rendiconti della Pontificia Accademia Romana di Archeologia,* Roma, 1923 et suiv.
RQ	*Römische Quartalschrift für Christliche Altertumskunde und für Kirchengeschichte,* Rome-Cité du Vatican.
PG	*Patrologiae cursus completus, series graeca,* J.P. MIGNE éd., Paris, 1839-1894.
PL	*Patrologiae cursus completus, series latina,* J.P. MIGNE éd., Paris, 1844-1866.
Jahr. für Lw.	*Jahrbuch für Liturgiewissenschaft,* München, 1921-1941.

INTRODUCTION

Consacré, pour l'essentiel, à une analyse archéologique et thématique de la Vision de Matthieu, ce travail poursuit en fait deux buts différents : 1) montrer les origines et le développement d'une interprétation particulière de la Seconde Parousie ; 2) établir à cette occasion une sorte de coupe stratigraphique dans les couches successives de l'imagerie chrétienne, ce dernier examen pouvant servir à la compréhension d'autres images que celles de Matthieu.

La Seconde Parousie, telle qu'elle est annoncée par le Christ dans les chap. XIX, XXIV et XXV de l'évangile de Matthieu, n'a jamais fait l'objet d'une étude monographique. Dans les manuels ou les lexiques d'iconographie, elle est souvent confondue avec le Jugement dernier ou traitée en appendice des visions de l'*Apocalypse* de Jean. D'autre part, les éléments qui constituent le noyau de cette image : l'apparition de la croix, la vision du Fils de l'homme, n'ont jamais été analysés pour eux-mêmes, la tendance générale étant de les considérer comme de simples illustrations des chap. XXIV, 30 et XXV, 31 du premier évangile.

J'ai donc soumis mon analyse iconographique à une méthode sensiblement différente de celle des manuels actuellement en usage, en dissociant provisoirement l'image proprement dite des textes qu'elle est censée représenter. D'autre part, les scènes appartenant en propre au Jugement, — pesée des âmes, anges sonnant de la trompette, résurrection des morts, etc. — étant souvent absentes ou incomplètes, c'est au « noyau théophanique » lui-même — Croix + Christ — que je me suis d'abord attaché, afin d'en dégager les origines, les applications et significations diverses.

Je n'exclus toutefois pas les textes, et leur influence sur les images, de mon étude : ils se complètent naturellement, si l'on prend soin de les comparer dans une perspective synchronique, la seule qui à mon sens évite de se méprendre, en appliquant, par exemple, à une image du VIe siècle un texte arbitrairement sorti de son contexte historique, psychologique ou spirituel.

Mais c'est d'abord aux images, aux simples signes ou symboles iconographiques que j'appliquerai ma première analyse. J'essaierai par la suite d'en dégager les significations successives, en m'appuyant sur des images voisines ou synonymes et sur des textes contemporains. J'aurai donc pour principe d'établir tout d'abord un ensemble ou une suite iconographique, à la fois synchronique et diachronique, avant de recourir aux textes, que je n'utiliserai pourtant que dans la mesure où ils pourront s'appliquer à des réalités *signifiées* iconographiquement.

***

Entre la fin du VIIIe siècle et le XIVe siècle, la plupart des images théophaniques se référant de près ou de loin aux chap. XXIV et XXV de Matthieu, utilisent quatre types iconographiques pour signifier l'apparition du Christ-Juge et de son Signe :

1) Le Christ trônant (ou plus rarement debout) dominant une croix qu'entourent ou que présentent deux anges (portes de bronze de Vérone, chapelle de l'Arena, chaires de Pise ou de Sienne) ;
2) Le Christ trônant (ou plus rarement debout) surmonté d'une croix qu'entourent ou que présentent deux anges (fol. 368v de la *Bible de Farfa,* tympans de Conques ou du croisillon sud de Chartres) ;

3) Le Christ trônant (ou plus rarement debout) portant lui-même sa croix (fol. 53r de l'*Apocalypse de Bamberg,* tondo du Vatican, fol. 41v du *Lectionnaire de Bernulph,* fol. 9v du Cod. 49.598 du Brit. Mus.) ;
4) Le Christ trônant (plus rarement debout) flanqué d'un ange portant la croix (Reichenau-Oberzell, tympans occidentaux des cathédrales de Paris, de Bourges ou d'Amiens).

Par manque de place ou pour mieux adapter ces figures à un cadre déterminé, il arrive que ces deux éléments soient dissociés et figurés séparément (chapiteaux de la Daurade, de Saint-Nectaire ou de Saint-Pierre de Genève) ou simplement superposés (Burgfelden, Saint-Denis). Cette dissociation du schéma primitif n'affecte toutefois pas les deux signes iconographiques de base qui le composent. On trouve d'ailleurs des exemples de cette dissociation à l'époque paléochrétienne, par exemple un *solidus* de Justinien I, où les deux éléments sont figurés à l'avers et au revers de la médaille, ou des monnaies de Magnence (350-353) avec d'un côté le buste de l'empereur, de l'autre *Victoria* et *Libertas* tenant un trophée par la haste.

Que le Christ montre ses plaies (tympan de Chartres, chaire de Pise) ou qu'il apparaisse comme un roi victorieux (fol. 9v du manuscrit d'Aethelwold, tympan de Beaulieu), que le Signe du Fils de l'homme soit figuré comme le gibet du Calvaire (Burgfelden, chaire de Pistoia) ou comme une précieuse croix d'orfèvrerie (Beaulieu, *tondo* du Vatican), ne me paraît pas important dans ce premier essai de classification. Ce ne sont là, en effet, que des caractères secondaires ou circonstanciels, comme la présence ou l'absence des damnés, la pesée des âmes, la Déisis, l'enfer ou le Paradis, éléments *périphériques* du Jugement.

Les quatre types iconographiques bien définis dont j'étudierai l'origine et l'évolution constitueraient donc, sous cet aspect schématique et souvent même abstrait, ce que les linguistes appellent des sèmes ; je les appellerai à l'occasion « signes », « types » ou « symboles », au sens saussurien de ce terme, puisqu'ils appartiennent de toute évidence à un système de communication fondé sur un ensemble d'éléments iconographiques à l'origine abstraits et conventionnels. Suivant le sens que l'on attache à ces différents types, l'image revêt naturellement différents aspects, sans que soit détruit le signe ou plutôt le symbole iconographique de base. Ses caractères secondaires, en revanche, seront davantage touchés, car autour du noyau primitif s'agglomèreront de nouveaux éléments ayant une affinité naturelle avec la signification nouvelle qui s'attache à l'ensemble, et en particulier, au noyau théophanique lui-même.

Ce n'est en effet qu'au terme d'une lente évolution que se sont constitués les Jugements derniers - Visions de Matthieu de l'iconographie médiévale. Au XIIIe siècle, ils se présentent, apparemment, comme des illustrations synthétiques des chap. XIX, XXIV et XXV, mais cela ne suffit pas à déduire que le texte seul est à l'origine de ces images ; en fait, il est surtout responsable d'une transformation et d'un enrichissement de quatre types qui, primitivement, ne signifiaient rien d'autre que la victoire, le triomphe ou le pouvoir universel d'un empereur romain.

Portant ainsi sur plus d'un millénaire d'histoire des formes et des idées, mon enquête m'a progressivement amené à dégager trois niveaux, trois couches successives d'aménagements iconographiques.

1) Le premier niveau est représenté par des images du triomphe impérial ;
2) Le second, qui peut être contemporain du premier, par des images qui en dérivent et s'appliquent, par analogie, au triomphe du Christ, triomphe céleste ou eschatologique, mais non parousiaque dans la plupart des cas (N.B. : voir à la fin de cette introduction) ;
3) Le troisième enfin par des images du triomphe du Christ à la fin des temps. C'est à partir de ce dernier niveau seulement qu'apparaît la Vision de Matthieu proprement dite, dont dérive une des interprétations du Jugement dernier qui a rapidement transformé les quatre types cités plus haut.

L'étude de ces mutations successives m'a naturellement conduit à réexaminer le problème de l'*historicité* de l'imagerie chrétienne. On verra en effet que les quatre types qui nous intéressent ont été introduits, à diverses époques, dans des scènes situées hors du temps ou bien au moment du Portement de la croix, de la Crucifixion, de la Résurrection, de l'Ascension, ou du Retour à la fin des temps. La dernière, certes, a fini par l'emporter, mais on pourra constater que d'autres voies étaient tracées où l'art médiéval, gothique en particulier, ne s'est pas engagé. Au XIIIe siècle, la prédominance des Visions de Matthieu - Jugements derniers marque en effet la victoire des images bien situées historiquement sur celles, plus symboliques, qui à propos d'un fait historique précis dépassaient l'événement pour n'en retenir que le sens triomphal, intemporel ou dogmatique. Pour mesurer le chemin parcouru, il suffira de comparer le « cycle » de l'Enfance de l'arc de Sainte-Marie-Majeure (Ve s.) à celui qui se développe dans la sculpture médiévale. A Rome, l'ordre chronologique est complètement rompu afin d'exalter la royauté et les « épiphanies » du Christ, tandis qu'à Chartres, sur les chapiteaux de la façade occidentale, les épisodes de l'Enfance s'enchaînent les uns aux autres comme un récit.

La Vision de Matthieu, *image médiévale* dont le schéma primitif n'avait rien à voir avec les chap. XXIV et XXV du premier évangile, se développe parallèlement à ce courant historique qui finit par l'emporter à l'époque gothique. A bien des égards, l'histoire de la Vision de Matthieu est en effet liée aux autres images de théophanies qui, toutes, dès le IXe siècle, tendent à se confondre dans l'unique vision de la fin des temps, théophanie surnaturelle, localisée pourtant à l'horizon de l'histoire, et accessible de ce fait à tous les hommes, bons ou mauvais. Il est évident que les apparitions célestes de Rome ou de Ravenne n'excluent pas totalement l'idée du Retour à la fin des temps ; les quelques allusions à la Seconde Parousie et au Jugement restent toutefois discrètes sinon marginales (voir par exemple l'ancienne abside de Fundi à l'époque de saint Paulin), alors que tout est ramené à cet unique instant dans les théophanies gothiques.

Cette tendance générale a favorisé le développement du Jugement dernier qui, par la suite, dès le début du XIIIe siècle, s'est pratiquement substitué aux visions théophaniques intemporelles ou parousiaques : pour que l'iconographie du Jugement pût se développer, il fallait en effet que les visions intemporelles de l'art paléochrétien cédassent la place aux théophanies plus dramatiques de l'*Apocalypse* (dans sa compréhension iconographique médiévale) et des chap. XXIV et XXV de l'évangile de Matthieu.

Dans les chapitres qui vont suivre, on pourra constater que l'histoire du Jugement dernier ne commence vraiment que le jour où les théophanies absidales, sereines et intemporelles, sont absorbées par les théophanies reconnues désormais comme parousiaques de la façade et de l'arc triomphal. A la même époque, se produit également la transformation définitive des quatre types étudiés dans ce travail. De même que les visions paléochrétiennes de l'abside se trouvent incorporées à un programme de caractère eschatologique se référant à l'Apocalypse, le triomphe du Christ-empereur est transposé à la fin des temps où il devient Vision de Matthieu et prélude au Jugement.

Cette importante mutation qui a touché, surtout au nord des Alpes, toutes les théophanies absidales — celles qui ne pouvaient se transformer étant progessivement éliminées — doit être située à l'époque carolingienne. Peu de monuments sont conservés, mais les *tituli* (en particulier *Carmina Sangallensia* VII) qui sont nombreux corroborent ce que l'on peut déduire de l'analyse des peintures de Münster, dont les trois absides et la façade occidentale ont partiellement conservé leur décor.

Pour notre étude, l'époque carolingienne ressemble malheureusement à une sorte de canal souterrain à l'issue duquel des images paléochrétiennes que nous connaissons relativement bien réapparaissent sensiblement transformées. C'est le cas, en particulier, pour les images de la Vision de Matthieu qui font l'objet de ce travail. Il n'en subsiste que peu qui soient antérieures au XIe siècle, époque où elles commencent alors à foisonner en empruntant régulièrement la forme et le schéma des quatre types paléochrétiens représentant le Christ-empereur et victorieux.

En dépit des destructions, de l'extrême rareté des documents, l'époque carolingienne nous apparaît ainsi comme un moment essentiel de l'art occidental. Des éléments paléochrétiens, romains ou byzantins, furent remis au creuset, coulés dans de nouveaux moules et transmis, sous cette forme neuve, à l'âge roman qui, tant dans le domaine iconographique que proprement stylistique, se contenta souvent de poursuivre les expériences carolingiennes. La dominante deutéro-parousiaque (ou eschatique) des absides et des portails romans est d'origine carolingienne — ce caractère est en effet secondaire ou même absent dans les absides de l'époque paléochrétienne — origine qui est mise en évidence par les *tituli* d'Alcuin, de Flore de Lyon, de Raban Maur, etc. C'est à cette époque également que les commentateurs commencent à s'étendre régulièrement sur les chap. XXIV et XXV de Matthieu : Raban Maur, Paschase Radbert et, au Xe siècle, Rémi d'Auxerre, les expliquent longuement, plus encore que leurs prédécesseurs paléochrétiens qui voyaient surtout dans cet instant une sorte d'*Adventus* ou de triomphe impérial. Ce regain d'intérêt pour les théophanies de la fin des temps coïncide avec l'apparition de « nouvelles » images et une importance de plus en plus grande accordée au Jugement dernier proprement dit. Les tituli carolingiens, reflets d'images disparues, ne laissent, semble-t-il, aucun doute :

> « *Hac sedet arce Deus Judex, genitoris imago,*
> *Hic seraphim fulgent Domini sub amore calientes,*
> *Hac inter cherubim volitant arcana tonantis ;*
> *Hic pariter fulgent sapientes quinque puellae*
> *Aeterna in manibus portantes luce lucernas.* »
> (*tituli* d'Alcuin pour un décor absidal de l'église de Gorze consacrée en 765 ; cf. J. von Schlosser, *Schriftquellen,* n° 900, p. 312-313).
> « *Ecce tubae crepitant quae mortis jura resignant,*
> *Crux micat in caelis, nubes praecedit et ignis.*
> *Hic resident summi Christo cum judice sancti*
> *Justificare pios, baratro damnare malignos.* »
> (*Carmina Sangallensia* VII, *tituli* pour le décor de l'arc triomphal et la contre-abside d'une église inconnue, comparable à celle du plan-projet de Saint-Gall ; cf. J. von Schlosser, *Schriftquellen,* n° 931, p. 326-332).

Une fois rejeté à la fin des temps, le triomphe du Christ tend à se confondre avec le Jugement dernier dans lequel il est progressivement absorbé. A la faveur de cette mutation, des allusions directes au Jugement ont pénétré dans l'abside, quittant ainsi la façade occidentale, leur emplacement primitif. Au VIIIe siècle, dans l'abside de Gorze, et au XIIe siècle, dans le chœur de Notre-Dame-la-Grande de Poitiers, les damnés sont absents, mais la séparation des bons et des mauvais est représentée sur les chapiteaux des déambulatoires de Saint-Révérien (Nièvre), de Saint-Nectaire et de Saint-Pierre de Chauvigny (Vienne). Le programme du chœur et celui de la façade occidentale, interne ou externe, sont donc sensiblement les mêmes, le second l'ayant finalement emporté sur le premier qui jusqu'à la fin du VIIIe siècle était resté de caractère essentiellement intemporel, triomphal et non pas parousiaque.

Du IVe siècle au milieu du XIIe siècle, on notera toutefois la persistance de deux éléments « invariant » hérités de l'art impérial romain : l'un, formel, a trait au schéma des quatre types définis plus haut ; l'autre, idéel, au contenu sémantique de ces images. Que la théophanie du Christ soit figurée de manière symbolique, a-chronique, ou à un moment historique plus ou moins bien déterminé, l'idée de victoire et de pouvoir cosmique subsiste, et nous ramène aux origines romaines et impériales de notre thème.

Mais avant d'aborder l'étude proprement iconographique des monuments de cette série, je voudrais dès à présent définir brièvement le sens particulier que j'accorderai provisoirement dans cette étude à deux termes qui sans autres explications pourraient paraître ambivalents ou ambigus : *eschatologique* et *parousiaque.*

Par eschatologique, je désignerai, arbitrairement, une vision de caractère théophanique, céleste ou paradisiaque, *non située historiquement,* quand bien même elle aura des attaches avec un événement de la Première ou de la Seconde Parousie (eschatologie présente ou réalisée). Dans cette optique, je continuerai à désigner comme eschatologique une vision céleste se référant à l'*Apocalypse* de Jean, dans la mesure où celle-ci sera conçue non pas comme une révélation de la fin des temps, mais comme une vision de gloire située dans le ciel, au-dessus, au-delà ou hors du temps. Je me garderai donc soigneusement de distinguer dans le rouleau aux sept sceaux, l'Alpha et l'Oméga, les sept candélabres ou les Vivants des révélations johanniques de simples adverbes temporels ou locatifs situant automatiquement la scène ou l'image qu'ils accompagnent dans le contexte « historique » de la Seconde Parousie, ces derniers signes me paraissant être d'abord des notations qualificatives, des attributs réels ou symboliques de la divinité dévoilée. Dans le contexte anti-arien des IVe, V^e^ et VIe siècles, les *zodia* ou les Vivants (avec ou sans livres) autour du Christ ou de la Croix, de même que l'Alpha et l'Oméga qui accompagnent la croix ou le chrisme (cf. les monnaies de Magnence pour l'année 353 ou les bas-reliefs au soubassement de la colonne d'Arcadius) signifient d'abord que l'on accorde au Fils les mêmes attributs et la même dignité qu'au Père. Que l'Anonyme trônant de l'*Apocalypse* (le Père dans l'esprit de saint Jean) ait peu à peu remplacé l'Agneau intronisé, et soit ainsi devenu, surtout au Moyen Age, l'image du Christ et de Dieu dans sa gloire, montre d'ailleurs suffisamment qu'il faut se méfier d'une interprétation uniquement historique, dans le sens d'une eschatologie du futur, des « symboles » et des visions johanniques.

En conséquence, je réserverai le terme *parousiaque* — ou plus précisément deutéro-parousiaque ou eschatique — à des visions elles aussi théophaniques, célestes et surnaturelles, *mais situées historiquement,* ou, plus exactement, réintroduites dans une perspective historique, celle de la Seconde Parousie (endzeitliche Eschatologie, eschatologie future au parousiaque). Dans ces conditions, les théophanies de Sainte-Pudentienne, de Saints-Cosme-et-Damien, de Saint-Vital de Ravenne, de Saint-Apollinaire in Classe ou d'Hosios David de Salonique seront appelées eschatologiques et opposées à des visions médiévales, d'aspect voisin ou identique, mais que des signes, des symboles ou un contexte iconographique précis situent sans équivoque à la fin des temps, *à l'horizon de l'histoire.* Comme on le voit, le terme parousiaque définira une théophanie judiciaire ou deutéro-parousiaque, en ce sens qu'il désignera une révélation surnaturelle, accessible à tous dans le ciel de l'histoire, quelle que soit la source scripturaire à laquelle, directement ou indirectement, elle se rattache.

En soulignant cette différence — qui à mon sens est essentielle — je voudrais prendre quelques distances avec un groupe de chercheurs, pour la plupart de langue allemande (Peterson, Stommel, Dinkler, Deichmann, Sauser, etc.) qui dans des études récentes me paraissent avoir par trop exagéré l'aspect historique, et par la même occasion l'aspect parousiaque des théophanies absidales paléochrétiennes qu'ils assimilent, je le crois à tort, à des images de Seconde Parousie, confondant ainsi Seconde Parousie, Règne et Royaume de Dieu.

Cette interprétation me paraît contestable, car je ne pense pas qu'il soit légitime de rejeter automatiquement à la fin des temps toute révélation céleste ou surnaturelle, quand bien même elle serait inspirée de l'*Apocalypse de Jean,* laquelle est d'ailleurs loin d'être d'un bout à l'autre une simple révélation de la fin des temps[1]. Pour autant que je sache, par la seule analyse iconographique, celles-ci sont davantage situées au-dessus qu'à la fin de l'histoire. Et s'il se fait un échange, s'il y a communication entre la prairie céleste où réside le Christ ou sa Croix, et le monde de l'histoire d'où sont sortis les apôtres et les martyrs qui partagent sa gloire, cette communication s'opère davantage dans une perspective verticale que dans la seule perspective linéaire de l'histoire. Ainsi que me l'a fait remarquer mon ami, le Père J.M. Garrigues, un texte essentiel de l'Évangile de Jean illustre bien cette position : *Je vais et je viens vers vous* (*Vulg.* et *Itala : vado et venio ad vos*) *Jn* XIV, 28, traduction littérale du texte grec ὑπάγω καὶ ἔρχομαι πρὸς ὑμᾶς, s'oppose à une traduction ou relecture moderne du genre de celle qui a été adoptée par la *Bible de Jérusalem.* En effet, traduire ce texte par : « Je m'en vais et je reviendrai vers vous » est je le crois commettre le même abus que celui que j'ai relevé plus haut, à propos de l'interprétation des théophanies triomphales de l'époque paléochrétienne. Cette interprétation, ou plutôt cette relecture historicisante qui deviendra de règle en iconographie médiévale et moderne, n'est pas exactement celle des IVe, Ve et VIe siècles : il ne convient donc pas d'y projeter des conceptions postérieures, en l'occurrence inadéquates.

Il est d'ailleurs assez significatif que l'art paléochrétien ait surtout emprunté des motifs à la grande vision initiale de l'Anonyme intronisant l'Agneau (*Ap.* IV-V), alors que ce qui suit l'ouverture des sceaux, les cataclysmes et le Jugement de la fin des temps (*quae oportet fieri post haec*), n'a pratiquement pas intéressé les créateurs de l'imagerie triomphale. Le livre ou le rouleau aux sept sceaux, qu'il accompagne la croix, le trône, l'Agneau ou le Christ, reste fermé dans les absides et sur les arcs triomphaux de l'époque paléochrétienne ! Ce simple détail, le fait par exemple que les théophanies « sans voiles » ou « symboliques » des Ve et VIe siècles soient régulièrement situées dans le ciel, sur la prairie du Paradis, et non pas dans le ciel de l'histoire, au milieu des cataclysmes de la fin des temps, devrait donc nous mettre en garde contre une interprétation exagérément parousiaque de ces images toujours sereines. Me rangeant aujourd'hui à l'avis d'un éminent exégète

1. En attendant la parution d'une étude générale, parallèle à celle-ci, sur le problème des origines et de l'évolution des visions de l'Apocalypse, voir Y. CHRISTE, *Endzeitliche oder gegenwärtige Eschatologie in der frühchristlichen Kunst,* dans, *Orbis scientiarum,* t. 2, 1, Bern, 1972, p. 47 et suiv. ; *Victoria, Imperium, Iudicium. Un schème antique du pouvoir dans l'art paléochrétien et médiéval,* dans *RAC,* t. 49, *Miscellanea Ferrua - De Bruyne,* Rome, 1973, p. 47 et suiv. ; et pour ce qui touche à la compréhension médiévale de l'Apocalypse, du même auteur : *Ap. IV-VIII, 1 : de Bède à Bruno de Segni,* à paraître dans *Mélanges E.R. Labande,* et, *Les interprétations médiévales d'Ap. IV-V en visions de Seconde Parousie,* à paraître dans *Cahiers Archéologiques,* t. XXIII, Paris, 1973.

de l'*Apocalypse* qui affirmait récemment « qu'il serait temps de renoncer à cette idée fausse selon laquelle l'Apocalypse ne serait d'un bout à l'autre qu'une annonce de la (Seconde) Parousie »[2], je me suis peu à peu écarté, tout en profitant largement de leurs propres recherches, de savants connaisseurs de l'iconologie paléochrétienne. La présente enquête sur les origines et le développement de la Vision de Matthieu, poursuivie dans un registre différent mais parallèle, m'a progressivement conduit aux positions exposées plus haut.

2. A. FEUILLET, dans *Revue biblique,* t. LXXV, Paris, 1968, p. 120 (*Cr* de C. BRÜTSCH, *La clarté de l'Apocalypse,* Genève, 1966). Sur ce même sujet, voir plus bas, chap. IV, excursus I, p. 66 et suiv.

N.B. — Le Christ, bien entendu, ne revêt pas, ou très rarement, les attributs impériaux les plus «voyants» : diadème, sceptre, cuirasse d'apparat, vêtements brodés d'or ou de gemmes, etc. A ce niveau, lequel se superpose à des usages iconographiques déjà bien établis, ce ne serait là toutefois que de simples *redondances,* des marques extérieures du pouvoir qu'il n'était pas nécessaire de conserver. En revanche, et ceci me paraît plus important, on peut constater que le Christ, même dépourvu de ces insignes, conserve par rapport aux images impériales du premier niveau la même position, et les mêmes préséances que celles qui étaient réservées à l'empereur. Tout en faisant miennes les prudentes réserves de MM. A. Grabar et J. Deér (*Un médaillon en or provenant de Mersine,* dans *D.O.P.,* t. 6, 1951, p. 38 et suiv., *Das Kaiserbild im Kreuz,* dans *Schweizer Beiträge zur Allgemeinen Geschichte,* t. 13, 1955, p. 84-85), je ne diminuerai pas sensiblement la part de l'art officiel impérial dans l'élaboration de l'iconographie chrétienne. En effet, dans la mesure où le répertoire paléochrétien dépend, est une adaptation ou une recréation de formules impériales antérieures qui continuent à rester en usage, on se réfère naturellement à un langage iconographique connu, compris de tous. Ce qui comptait était donc de retrouver à l'*emplacement* déterminé, où chacun avait l'habitude de reconnaître l'empereur, une image du Christ, devenu par analogie (et même si son triomphe n'est pas accompagné de signes extérieurs du pouvoir) *rex regum, semper victor* et *dominus dominantium.* Toutefois, et cela doit être souligné concurremment, la suppression d'insignes impériaux redondants peut être considérée comme une importante mutation, car elle exprime, par opposition au niveau précédent dont elle ne brise cependant pas le cadre, une idée essentiellement chrétienne, pratiquement inconnue de la théologie du pouvoir impérial : celle de l'humilité du Serviteur souffrant, maître du monde et du temps par sa Passion et son intronisation à la droite du Père. Nous reviendrons plus bas, au chapitre V, sur l'expression iconographique de ce binôme de Passion et de Gloire.

CHAPITRE PREMIER

CHRIST EN BUSTE, TRONANT OU DEBOUT, AU-DESSUS DE LA CROIX

Parmi les images décorant les ampoules de Terre Sainte [1], celles que l'on désigne habituellement sous le nom de Crucifixion ou de Résurrection symbolique sont parmi les plus fréquentes. Trois types sont utilisés, dont nous ne retiendrons ici que le dernier : 1) Christ en buste, au devant d'une auréole étoilée, à l'intersection des deux branches de la croix [2] ; 2) Christ en *colobium,* avant-bras étendus, bras serrés contre le corps, sans que la croix apparaisse [3] ; 3) Christ en buste sommant une croix [fig. 1-4].

Les représentations de ce dernier type, par ailleurs le plus fréquent, varient beaucoup d'une ampoule à l'autre, sans toutefois que le schéma de base soit affecté. Bien que le Christ soit toujours barbu, avec un nimbe crucifère formant ou non *clipeus,* il domine une croix qui peut être faite de deux troncs de palmier, avec ou sans boules à ses extrémités (Monza n°s 9, 10, 11 ; Bobbio n°s 1, 6), ou avoir l'apparence d'une croix de bronze aux extrémités évasées (Monza n°s 2, 5, 6, 14, 15 ; Bobbio n° 18). Sur l'exemplaire de Dumbarton Oaks enfin, cette même croix se termine par une sorte de manche, ce qui lui donne l'aspect d'une croix processionnelle [4].

Cette double image (croix + buste) est très souvent flanquée des deux larrons, des bustes ou des symboles du Soleil et de la Lune, alors que deux « suppliants » sont régulièrement figurés au pied de la croix.

La présence de la Vierge et de saint Jean est plus rare (Monza n°s 9, 10, 11 ; Bobbio n°s 5, 6) ; quant à Longin et Stéphaton, ils n'apparaissent qu'une fois (Bobbio n° 6). Les quatre fleuves sont en revanche fréquemment représentés (Monza n°s 5, 6 (?), 8, 10, 11 ; Bobbio n°s 1 et 2 (?). Enfin, lorsque le buste est enfermé dans un médaillon, *clipeus* ou auréole, celui-ci repose directement sur la partie supérieure de la croix.

Deux ampoules de Bobbio (n°s 1 et 2) nous livrent en outre deux versions rares de ce même schéma. Sur la première, la croix faite de troncs de palmier est enfermée dans une auréole semée d'étoiles portée par deux anges et flanquée de deux autres anges, le buste du Christ apparaissant au-dessus. Sur la seconde, la croix du registre inférieur, sans auréole, est adorée par deux anges et surmontée d'un Christ trônant sur l'arc-en-ciel dans une mandorle semée

1. Sur ces objets, dont la majeure partie est conservée à Monza et à Bobbio, cf. en dernier lieu A. GRABAR, *Les ampoules de Terre-Sainte,* Paris, 1955 (avec bibliographie des travaux antérieurs). Les numéros cités ci-dessous correspondent au catalogue de ce dernier ouvrage. Sur d'autres ampoules conservées au British Museum, au Kaiser-Friedrich Museum, à Dumbarton Oaks et à l'Institute of Arts de Detroit, cf. A. GRABAR, *Les ampoules,* p. 9, et ici même, n. 4.

2. Cf. Bobbio n°s 3, 4 et 5. Ce type particulier a été étudié récemment par J. DEER, *Das Kaiserbild im Kreuz,* dans *Schweiz. Beiträge zur allgemeinen Geschichte,* t. XIII, 1955, p. 48 et suiv. ; et par A. GRABAR, *La précieuse croix de la Lavra Saint-Athanase au Mont-Athos,* dans *Cahiers Archéologiques,* t. XIX, Paris, 1969, p. 99 et suiv. Les conclusions de M. A. Grabar qui considère ce type triomphal comme un *niketerion* apparenté au *labarum* rejoignent celles que je serai amené à tirer plus bas p. 20 et suiv.

3. Monza n°s 12, 13 ; Bobbio n° 7. Cf. A. GRABAR, *Les ampoules,* p. 55 et suiv.

4. Cf. M. ROSS, *Catalogue of the byzantine and early mediaeval antiquities in the Dumbarton Oaks Collection,* t. I, Washington, 1962, n° 87 p. 71 et suiv. On pourra rapprocher ce dernier objet, avec sa croix à longue hampe, d'un médaillon de plomb, acheté au Caire au début de ce siècle et versé ensuite dans les collections du Kaiser-Friedrich Museum. Le buste du Christ nimbé domine, sans la toucher, une croix à longue hampe, flanquée des deux larrons (tous deux nimbés) attachés à leur croix. Au pied de la croix triomphale, on distingue encore une figure de profil à demi effacée, acclamant le trophée du Christ ou, plus probablement, faisant un geste de supplication. Une Ascension comparable à celle des ampoules est figurée au revers de cette image. Cf. à ce propos O. WULFF, dans *Samtliche Berichte aus den königlichen Kunstsammlungen,* t. XXXV, 2, Berlin, nov. 1913, col. 43, fig. 23. Deux ampoules également achetées au Caire et dont l'une reproduit le type bien connu du buste du Christ dominant une croix-arbre de vie, sont également publiées dans cette même chronique (col. 39 et suiv., fig. 20) que m'a signalée M. C. Lepage.

d'étoiles que soutiennent deux anges volant. Nous reviendrons plus bas sur cette dernière image [fig. 5-6].

En dépit de différences de détails touchant surtout à la périphérie de ces images, deux éléments restent constants : le buste sommant la croix. Je ne retiendrai donc pour l'instant que ce seul schéma invariant, car il apparaît également sur de nombreux objets ou monuments des IVe, Ve, VIe et VIIe siècles, les ampoules étant datées communément du milieu ou de la fin du VIe siècle.

Avant d'y revenir plus en détail, je mentionnerai d'abord brièvement une série d'images connues principalement par la sculpture des sarcophages, série qui au lieu du buste présente un chrisme dans une couronne au-dessus de la croix. Là aussi la forme du chrisme et de la croix peut varier d'un exemple à l'autre, de même que les personnages ou les scènes qui les accompagnent. Le schéma du noyau central subsiste néanmoins, n'étant soumis qu'à des variations peu signifiantes. Ce schéma, de même que celui des ampoules ou des objets qui vont être étudiés plus loin, est d'origine impériale et militaire. Dans le cas plus précis des sarcophages, il dérive on le sait du *labarum* « constantinien » tel que l'a décrit Eusèbe et tel qu'il apparaît, à partir de 326-327 sur le revers d'émissions de Constantinople, ou sur le volet gauche, dans la main d'Honorius, du diptyque consulaire de Probus (406) conservé dans le trésor de la cathédrale d'Aoste [5]. Cet étendard victorieux n'est lui-même qu'une transposition chrétienne des enseignes militaires (en particulier des *vexilla*) avec le portrait de l'empereur. Les images de ce type seront étudiées plus en détail au cours de ce même chapitre (p. 20 et suiv.) [fig. 7-8].

La croix sommée d'un buste appartient en effet à une autre série, il est vrai parallèle, mais dont les origines, quoique similaires, sont distinctes. Elle apparaît notamment sur de nombreux médaillons, camées ou intailles, sur des anneaux et des bracelets, ainsi que dans la peinture monumentale.

Sur la grande intaille du *Kunsthistorisches Museum* de Vienne, le buste du Christ (barbu, sans nimbe, mais avec une croix derrière la tête) domine, sans la toucher, une croix aux extrémités évasées. Elle paraît suspendue dans le ciel, sans attache avec le sol traduit par quelques petites touffes fleuries. Une inscription : EMMANOYEΛ, et deux apôtres de profil, dont l'un, celui de droite, tient une croix à longue hampe, complètent l'image [6] [fig. 9].

Sur le camée du *Cabinet des Médailles* de la BN de Paris, le buste du Christ (barbu, avec nimbe crucifère formant *clipeus*) repose directement sur la partie supérieure de la croix dont la forme est comparable à celle de l'intaille de Vienne. Elle est présentée par deux anges sceptrigères qui la soutiennent par la haste. Une sorte de disque-omphalos, ou plus probablement une cuve baptismale, avec les quatre fleuves lui sert de base [7] [fig. 10].

Le camée de Moscou (?), aujourd'hui perdu, est fort semblable à celui de Paris. Deux anges sceptrigères présentent une croix aux extrémités évasées sommées d'un buste du Christ (barbu (?) et légèrement de profil) inscrit dans un nimbe crucifère formant auréole. Une inscription de caractère triomphal et prophylactique : CKEΠH (?) ΛEONTIOY (protection de Léonce) complète l'image [8] [fig. 11].

Le cristal de roche du *Musée d'Oberlin* (Ohio), récemment publié par M. V. Elbern, est décoré d'une image encore plus simple. Le buste du Christ (barbu,

5. Cf. W. F. VOLBACH, *Elfenbeinarbeiten*, n° 1.

6. La bibliographie de cet objet (Wien, Kunsthistorisches Museum, Inv. - Nr. IX 2607, autrefois coll. K. Lanckoronski) connu depuis peu est déjà abondante. Outre le catalogue de l'Exposition *L'art byzantin* (Athènes, 1964, IXe exposition du Conseil de l'Europe), n° 113 ; et l'ouvrage collectif, *Byzanz und der christliche Osten*, par W. F. VOLBACH et J. LAFONTAINE-DOSOGNE, Berlin, 1968, p. 202, pl. 102b, qui ne font que le mentionner, cf. R. NOLL, *Eine unbekannte Grossgemme mit Apostelfürsten*, dans *Atti del VI° Congr. intern. di arch. crist.*, Ravenne, 1966, p. 39 et suiv., et H. WENTZEL, dans *Mélanges W. Middelldorf*, Berlin, 1968, p. 5 et suiv.

Ce prestigieux produit de la glyptique paléochrétienne est analysé dans ces dernières études à partir de l'iconographie des ampoules, laquelle est supposée palestinienne et considérée, je le crois à tort, comme un modèle. Il est donc daté de la fin du VIe siècle, ou du début du VIIe siècle, et attribué à l'art oriental. Ne partageant pas cet avis, je me suis opposé à cette manière de voir dans deux articles où cet objet est lui-même évoqué : *La vision de Matthieu* (2e article), dans *Genava, n.s.*, t. XVII, Genève, 1969, p. 59-62, et *A propos du décor absidal de Saint-Jean du Latran*, dans *Cahiers Archéologiques*, t. XX, Paris, 1970, p. 197 et suiv. (L'article de G. BOVINI, *Observazioni su un cameo bizantino del « Kunsthistorisches Museum » di Vienna*, dans *Atti del Ier Congr. nazion. di Studi bizantini*, Ravenne, 1966, p. 39 et suiv., n'apporte aucun fait nouveau).

A la liste des objets qui vont suivre, ajouter un cristal taillé, que je crois d'origine égyptienne, récemment acquis par le Musée du Louvre : buste sommant la croix, croix et étoile apotropaïques dans le champ [fig. 109]. A comparer avec fig. 12.

7. Sur cet objet, cf. A CHABOUILLET, *Catalogue général et raisonné des camées et pierres gravées de la Bibliothèque impériale*, Paris, 1858, n° 261 ; A. BABELON, *Catalogue des camées antiques et modernes de la B.N.*, Paris, 1897, n° 335. Cf. également Y. CHRISTE, *Vision de Matthieu II*, p. 60, fig. 3. Le disque de la base pourrait être également identifié avec la cuve d'un baptistère. Cf. à ce propos *infra*, p. 19, n. 19.

8. Cf. *DACL*, t. VI, Paris, 1924, col. 858, fig. 3.145, et Y. CHRISTE, *Vision de Matthieu II*, p. 60, fig. 4. Est-ce Leontius I (484-488) ou Leontios II (695-698) ou un autre personnage du même nom ? Un autre camée de même style se trouve aujourd'hui à Dumbarton Oaks (M. ROSS, t. I, n° 119). Deux anges sceptrigères présentant une croix-trophée y sont accompagnés de l'inscription EΞOYCIE (puissances), mais le buste fait défaut.

sans nimbe, mais avec une croix florencée derrière la tête) domine, sans la toucher, la croix potencée du registre inférieur. Elle est flanquée de l'A et de l'ω (signe d'éternité équivalent à celui du Soleil et de la Lune) et plantée sur un tertre fait de trois boules [9] [fig. 12].

Le médaillon du *Musée national* de Munich, qui est monté en fibule, est quelque peu différent. Deux anges présentent par ses extrémités une croix reposant sur un tertre d'où s'écoulent les quatre fleuves. Le buste du Christ (nimbé et crucifère) n'est pas enfermé dans un médaillon ou dans un *clipeus,* mais il paraît reposer sur le sommet de la croix. Un médaillon semblable, lui aussi monté en fibule, a été découvert dans le trésor avare de Pécs-Gyarvanos en Hongrie [10] [fig. 13-14].

En revanche, le buste du Christ (barbu, nimbé mais sans auréole) du médaillon de bronze du Vatican ne repose pas sur le sommet de la croix. Celle-ci, dont les extrémités sont évasées, avec l'A et l'ω suspendus à ses branches horizontales, est flanquée de deux martyrs couronnés par le Christ, l'un âgé et barbu, l'autre jeune et imberbe (et non pas une figure féminine), qui acclament le trophée. Ces deux personnages portent des croix à longue hampe, tandis qu'à gauche de la composition, un enfant tenant une sorte de cierge ou de candélabre s'approche de la croix. Deux rideaux tirés sont en outre figurés de part et d'autre de la scène [11] [fig. 15].

Sur la lamelle d'or en forme de médaillon du *Musée national* de Naples, le buste du Christ (barbu, avec nimbe crucifère inscrit dans un *clipeus*) repose directement sur les deux branches horizontales d'une croix très mince en forme de *tau.* Celle-ci est adorée par deux anges inclinés face contre terre et flanquée de l'inscription : ΑΓΙΟϹ ΑΓΙΟϹ qui réapparaît une troisième fois dans l'auréole du Christ [12] [fig. 16].

Sur le sceau de pierre trouvé à Salonique, en 1959, à proximité du mur nord de Saint-Démétrius, le buste du Christ (barbu ?) repose à nouveau sur le sommet de la croix, une croix triomphale du type de celles des ampoules de Terre Sainte ou des gemmes de Vienne ou de Paris. Elle est présentée par deux saints (voir le couronnement du « trône de saint Marc » à Venise), André, dont on distingue encore la croix à longue hampe, et Démétrius (?), une figure jeune et imberbe. Une longue inscription mutilée en partie entoure le sceau qui présente ainsi un aspect comparable à celui des ampoules : [ΕΥΛ]ΟΓΙΑ Κ(ΥΡΙΟ)Υ ΕΦ ΗΜΑϹ ΚΑΙ [ΤΩΝ Α]ΓΙΩΝ ΑΝΔΡΕΟΥ... [fig. 17].

La découverte de ce sceau, à Salonique même, semblerait indiquer que l'iconographie des ampoules n'est pas à proprement parler palestinienne ou syrienne. Le fait que tout une série d'anneaux de mariage, datés il est vrai du VIIe siècle, mais de provenance constantinopolitaine assurée, utilisent le même schéma (avec les jeunes époux en lieu et place des anges, des apôtres, des martyrs ou des saints), tend par ailleurs à infirmer l'opinion communément admise d'une origine orientale, syrienne ou palestinienne, de cette image triomphale [12].

Cela ne signifie toutefois pas que l'Orient, au sens le plus large de ce terme, ait simplement importé d'ailleurs ce schéma victorieux dont nous verrons plus loin les origines romaines. Il apparaît notamment sur une série de bracelets-amulettes provenant d'Égypte et décorés de petites scènes comparables à celles des ampoules [13]. Sur l'exemplaire que je repro-

9. Cet objet a été récemment publié par V.H. ELBERN, *An early christian rock intaglio,* dans *Allen memorial art Museum Bulletin,* t. XXIV, 1, Oberlin (Ohio), 1966, p. 35 et suiv. Par référence à l'iconographie des ampoules, ce cristal est daté du début du VIIe siècle et attribué à la Syrie.

10. Cf. W. F. VOLBACH, *Zwei frühchristliche Goldmedaillons,* dans *Berliner Museen, Berichte aus den preussischen Kunstsammlungen,* t. XLIII, 7/8, Berlin, 1922, p. 80 et suiv., pl. 69. Les deux médaillons « avares », sans doute deux estampages d'un médaillon byzantin, sont presque identiques au médaillon de Munich, lui aussi monté en fibule. Ils ont été découverts à Pécs-Gyarvanos (Hongrie) et publiés par A. ALFOLDI, *Zur historischen Bestimmung der Avarenfunde,* dans *Eurasia Septentrionalis Antiqua, Mélanges E. H. Minns,* t. IX, Helsinki, 1934, p. 285 et suiv., fig. 3, pl. I, 1 et 2. Je remercie mon ami C. Lepage qui m'a signalé cette dernière publication.

11. A ce sujet, cf. en dernier lieu C. IHM, *Apsismalerei,* p. 89.

12. Sur le médaillon de Naples, que Cecchelli, je le crois à tort, considère comme une Seconde Parousie selon Matthieu, cf. C. CECCHELLI, *Il trionfo della croce,* Rome, 1954, p. 170, fig. 82, et surtout A. GRABAR, *La croix de la Lavra-Athanase,* p. 124, fig. 25.

Sur le sceau de pierre trouvé à Salonique, cf. *Bulletin de correspondance hellénique,* t. LXXXIV, Paris, 1960, p. 789, fig. 2 (chronique des fouilles de l'année 1959, par G. DAUX).

Sur les anneaux de mariage trouvés à Constantinople, avec l'inscription prophylactique ΟΜΟΝΟΙΑ ou ΘΕΟΥ ΧΑΡΙϹ, cf. M. ROSS, *Catalogue of the byzantine and early mediaeval antiquities in the Dumbarton Oaks collection,* t. II, Washington, 1965, nos 67 et 68. Cf. également O.M. DALTON, *Catalogue of the finger rings in the British Museum,* Londres, 1912, n° 133 ; P. ORSI, *Gioielli bizantini della Sicilia,* dans *Mélanges Gustave Schlumberger,* Paris 1924, p. 395 ; B. SEGALL, *Katalog der Goldschmiedearbeiten des Museums Benaki,* Athènes, 1938, nos 258, 259, 260.

M. Ross, je le crois avec raison, abandonne l'hypothèse d'une origine palestinienne de ce type iconographique, le considérant, ainsi que M. Grabar, comme une création constantinopolitaine.

13. Ils ont été publiés par J. MASPERO, *Bracelets-amulettes d'époque byzantine* dans *Annales du Service des antiquités de l'Égypte,* t. IX, p. 246 et suiv. A cette série d'objets, trouvés en assez grand nombre, on pourrait ajouter une gemme-amulette montée en pendentif, publiée par CAMPBELL BONNER, *Studies in magical amulets,* Londres, Oxford Univers. Press, 1950 n° 318, fol. XVI, p. 306, col. 1.

Le Christ ? (en buste), la tête légèrement de profil repose

duis ici, le buste du Christ (barbu et sans nimbe) est nettement séparé de la croix faite d'une file de petites perles. Au passage, on notera un élément nouveau : le double rinceau qui s'échappe de sa base et que nous comparons plus loin aux trophées de cuirasses flaviennes dont la base est elle aussi recouverte d'un calice d'acanthes d'où s'échappent les volutes de deux rinceaux [14] [fig. 18].

Nous retrouvons la croix au milieu de feuillages sur un fragment de stèle du VIe-VIIe siècle, provenant des fouilles de Dvin et aujourd'hui conservé au Musée d'Erevan. Sur cet objet, dont je dois la connaissance à l'amabilité de Mme N. Thierry, le buste du Christ (barbu, avec nimbe crucifère formant *clipeus*) repose directement sur les deux branches horizontales de la croix dont les extrémités évasées tendent à se confondre avec les larges feuilles grasses qui couvrent toute la surface de la stèle. Deux anges (?) nimbés et en adoration sont figurés de part et d'autre du registre supérieur [15] [fig. 19].

Mais ce même motif fut également utilisé à Rome, dans l'abside de San Stefano Rotondo (VIIe siècle) et dans celle de Saint-Jean-du-Latran [fig. 20-21].

Bien qu'en partie refait, le décor absidal de San Stefano peut être daté du pontificat de Théodore I (642-649). Deux martyrs vêtus de la chlamyde, Primus et Felicianus, entourent une croix d'orfèvrerie plantée sur la prairie du Paradis. Le buste du Christ en médaillon repose directement sur le sommet de la croix, au-dessous d'un segment de ciel avec la main de Dieu tendant une couronne. L'origine palestinienne de la composition est en général acceptée, le pape Théodore étant né à Jérusalem et la décoration de l'abside étant considérée comme contemporaine du rapt de la croix par les Perses [16]. Cette interprétation me paraît cependant plus séduisante que réellement valable, car elle repose sur un malentendu (l'origine palestinienne des « Crucifixions » des ampoules) qui sera discuté plus bas.

J'en arrive toutefois à l'image la plus importante de cette série, celle du Latran.

Dans son état actuel, la mosaïque est une copie de la fin du XIXe siècle. Elle reproduit cependant, sinon avec art du moins avec assez d'exactitude, l'œuvre de Torriti qui fut exécutée à la fin du XIIIe siècle sous le pontificat de Nicolas IV. De nombreux auteurs, certains avec de larges réserves, d'autres avec plus de témérité, ont néanmoins admis qu'il ne s'agissait pas là, à proprement parler, d'une création, mais d'une restauration ou d'une reconstitution plus ou moins libre du décor primitif datant de l'époque paléochrétienne. Ayant publié ailleurs une étude sur cette question controversée, je serai donc bref et me contenterai de reprendre les principaux points de mon argumentation [17]. L'existence d'une importante série de monuments ou objets paléochrétiens présentant le même schéma que celui du Latran, rend évidemment plausible l'hypothèse d'une croix surmontée d'un buste dans le décor primitif. Le buste du Christ, d'autre part, est un remploi, un fragment paléochrétien inséré par Torriti dans son œuvre de restauration ; il fut d'ailleurs imité, dès le VIIe siècle, dans l'abside de la chapelle voisine de Saint-Venance auprès du baptistère [18]. Le registre supérieur de cette dernière composition (Christ en buste, avec un nimbe transparent, flanqué de deux bustes d'anges ayant eux-mêmes des nimbes transparents à travers lesquels on distingue des nuages) pourrait fort bien reproduire le registre supérieur de l'abside du Latran.

Un autre élément, celui-là stylistique, plaide également en faveur d'un modèle paléochrétien. Le champ de l'abside est en effet divisé en trois registres colorés, bleu-or-vert, le registre bleu servant de fond à l'apparition du buste du Christ. Cette disposition, inhabituelle au XIIIe siècle, est en revanche fréquente au Ve siècle, notamment dans la nef de Sainte-Marie-Majeure (voir Cecchelli, pl. couleur XIV, XV, XXIII, XXXIII, XXXIV, XLIII), où le fond bleu sert également d'espace pour des apparitions surnaturelles. Nous retrouvons par ailleurs les trois registres colorés, avec apparitions de divinités en buste, dans la zone supérieure de l'*Ilias Ambrosiana* (Milan, Bibl. ambr. Cod. 205 P. inf., Min. n° XIII, XXI, XXII, XXIX, XXXIV, XXXV), manuscrit dont on connaît les affinités stylistiques avec les mosaïques de Sainte-Marie-Majeure.

Le schéma actuel (buste au-dessus d'une croix

sur les deux bras horizontaux de la croix. L'inscription figurant au revers de cet objet ne manque pas d'intérêt (ΕΙΣ ΘΕΟϹ Ο ΝΙΚωV ΤΑ ΚΑΚΑ), car elle en souligne la valeur triomphale et par conséquent apotropaïque.

14. Cf. *infra*, p. 19.

15. A ce propos, cf. *RLBK*, fasc. 9, Stuttgart, 1967, p. 14, article Dvin (A. Khatchatrian) qui renvoie à une bibliographie plus étendue.

16. Cf. C. Ihm, *Apsismalerei*, p. 143.

17. *A propos du décor absidial de Saint-Jean du Latran*, dans *Cahiers Archéologiques*, t. XX, Paris, 1970, p. 197 et suiv. (avec bibliographie des travaux antérieurs).

18. Cf. C. Ihm, *Apsismalerei*, p. 144, 145.

triomphale) étant lui-même fréquent et usuel à l'époque paléochrétienne, et au contraire inhabituel au Moyen Age, on pourrait donc en déduire que ces deux éléments essentiels de l'abside, les trois registres colorés et le schéma central, sont antiques et ont été repris par Torriti. Quant aux éléments de la Fontaine de Vie, ils pourraient eux aussi être empruntés, comme le suppose M. H. Stern, au répertoire paléochrétien de l'iconographie baptismale [19].

Pour toutes ces raisons, je crois donc que le noyau central de l'abside du Latran est une reprise médiévale d'un schéma paléochrétien que l'on pourrait attribuer au milieu du Vᵉ siècle, soit plus d'un siècle avant les ampoules. Je me garderai toutefois d'établir un essai de filiation entre l'iconographie des ampoules, celle du Latran et des objets ou monuments étudiés plus haut, en me contentant d'y reconnaître une similitude évidente. L'origine de cette iconographie devrait pourtant être cherchée ailleurs qu'en Palestine ou en Syrie où elle n'apparaît avec certitude que vers la fin du VIᵉ siècle. Ne pouvant, ni surtout ne voulant assigner une date précise, un lieu de provenance exact à ces divers objets ou monuments, je les considèrerai simplement comme des produits dérivés d'une même source : l'iconographie impériale romaine, l'adaptation à des usages et à l'esprit chrétiens ayant pu se produire aussi bien à l'Ouest qu'à l'Est de l'Empire.

Le schéma que nous étudions se retrouve en effet sur toute une série de monuments romains, en particulier sur le torse de très nombreuses statues cuirassées, dont on a retrouvé des exemples sur tout le territoire de l'Empire [20]. Si l'on compare ainsi le torse de la statue de Trajan du *Musée du Louvre* à la partie centrale du Latran (supposée paléochrétienne) ou à l'intaille de Vienne, on constate aussitôt une similitude évidente. La croix, ce qui est tout à fait normal, a pris la place du trophée fleuri ; le buste du Christ, celui de la divinité marine de la cuirasse. Sur le camée de Paris, les deux victoires achevant de garnir le trophée sont devenues des anges ; sur le bracelet-amulette du Caire, la croix fleurie s'est substituée au trophée reposant sur un calice d'acanthes donnant naissance à des rinceaux.

Le schéma triomphal qui apparaît sur cette cuirasse flavienne à tête de Trajan est loin d'être unique. D'autres statues cuirassées trouvées en Grèce, en Italie ou en Afrique du Nord en fournissent d'autres exemples, de même que la face est de l'arc d'Orange (début du IIIᵉ siècle ?) où un buste du Soleil domine les trois trophées du registre inférieur [21]. Sur tous ces monuments, nous trouvons régulièrement au-dessus du trophée le buste d'une divinité cosmique, *Sol, Luna,* dieu marin, etc. [fig. 22-24].

Ce schéma est donc courant, universellement répandu. Rien, dans ces conditions ne s'opposait donc à son utilisation par l'art chrétien, que ce soit à Rome, à Byzance ou ailleurs.

On remarquera cependant qu'un détail caractéristique de ce dernier type d'images n'a pas toujours été respecté dans l'art chrétien. Les bustes de Neptune, d'Apollon ou de Séléné des cuirasses et de l'arc d'Orange sont en effet séparés du trophée, alors que souvent le buste du Christ en *clipeus* est attaché à la croix. Ce détail, apparemment négligeable, doit pourtant être souligné, car il nous introduit dans une nouvelle série d'images qui est parallèle et synonyme, mais dont les origines sont distinctes de celles que nous venons d'étudier. Je pense notamment aux « trophées » des sarcophages dit de la Passion qui, à quelques détails près, se présentent ainsi : une croix

19. *Le décor des pavements et des cuves dans les baptistères paléochrétiens,* dans Actes du VIᵉ Congrès intern. d'Arch. chrétienne, Paris-Rome, 1957, p. 381 et suiv.

20. Sur les statues cuirassées, cf. en dernier lieu C.C. VERMEULE, *Hellenistic and roman cuirassed statues,* dans *Berytus,* t. XIII, 1, Copenhague, 1959, p. 1-82 (notes supplémentaires dans *Berytus,* t. XV p. 95 et suiv. et t. XVI, p. 49 et suiv.) et surtout, pour ce qui touche à notre étude, G.C. PICARD, *Les trophées romains,* Paris, 1957. Cf. également W. WROTH, *Imperial cuirass ornementation and a torso of Hadrian in the British Museum,* dans *Journal of hellenistic studies,* t. VII, 1886, p. 126-142 ; H. von RODHEN, *Die Panzerstatuen mit Reliefverzierung* dans *Bonner Studien R. Kekule gewidmet,* Leipzig, 1890, p. 1 et suiv. ; A. HEKLER, *Beiträge zur Geschichte der antiken Panzerstatuen,* dans *Jahreshefte des österr. archaelog. Institutes in Wien,* t. XIX-XX, Wien, 1919, p. 190 et suiv. ; et surtout, pour la place qu'il a faite au couronnement des trophées, G. MANCINI, *La statua loricata imperiale,* dans *Bull. della commissione archeolog. communale di Roma,* t. L, Rome, 1922, p. 151 et suiv.

Outre les exemples, nombreux, avec un *gorgoneion* surmontant le trophée (par exemple C.C. VERMEULE, I, n° 12, pl. 111, 10, Munich, Glypthothèque, vers 40 avant J.-C. ; n° 197, pl. 16, 49, Musée de Corinthe ; n° 204, pl. 18, 51, Musée d'Olympie, vers 130-150 ap. J.-C.), on pourrait citer, à côté du torse du Louvre, deux autres statues cuirassées de ce même Musée, avec tête de Trajan et de Marc-Aurèle, que M. Picard, après Mancini, date de l'époque flavienne (MANCINI, n° 30, pl. XVII et n° 32). Sur ces deux cuirasses, le buste de Séléné au-dessus d'un croissant surmonte le trophée. Cf. également le torse cuirassé du Musée du Bardo (PICARD, p. 356 et suiv., pl. XVIII ; C.C. VERMEULE, n° 70) avec un buste de divinité marine ; et la cuirasse provenant de Salone, aujourd'hui au Musée de Zagreb, avec le char frontal du soleil au-dessus du trophée (C.C. VERMEULE, n° 44 et W. SCHMID, *Torso einer Kaiserstatue im Panzer,* dans *Strena Buliciana,* Zagreb-Split, 1924, p. 45 et suiv., pl. V. Cette liste, qui n'est pas exhaustive, montre toutefois la fréquence de ce motif impérial, l'idée de remplacer le *gorgoneion* par un buste de divinité cosmique étant selon M. Picard une création flavienne.

21. Cf. R. AMY, P.M. DUVAL, J. FORMIGE, J.J. HATT, A. PIGANIOL, C. et G.C. PICARD, *L'arc d'Orange,* Paris, 1962, p. 79 et suiv., p. 140, pl. VI, XXI, CX. Cf. également p. 148, fig. 17 a-d, p. 147, fig. 16.

sommée d'un chrisme dans un médaillon ou une couronne. Il s'agit là, on le sait, d'une sorte de transposition du *labarum* « constantinien », tel qu'il apparaît sur une série de monnaies de Constantinople, frappées après la victoire de Constantin sur Licinius, et sur le volet gauche du diptyque de Probus à Aoste. Sous cet aspect, il correspond à la description qu'on en trouve chez Eusèbe, dans un texte qui est peut-être une addition tardive, de toute façon postérieure à la victoire sur Maxence [22].

A propos des sarcophages ornés au centre de ce motif bien connu et souvent commenté, on pourra faire des remarques voisines de celles que nous ont inspirées les ampoules de Terre Sainte et les objets précédemment décrits. On constate en effet qu'une seule chose ne varie guère : le noyau triomphal constitué d'une croix « latine » sommée d'un chrisme, la croix pouvant être nue ou gemmée ; le chrisme, lauré, inscrit dans un médaillon ou dans un *clipeus* flanqué ou non du Soleil et de la Lune.

Les figures complémentaires, en revanche, varient beaucoup. La croix peut être flanquée de deux soldats assis, l'un levant la tête vers le chrisme, l'autre, accablé, la tête tournée vers le sol. Dans ce cas, on reconnaît une transposition des vaincus captifs qui flanquent le trophée (cf. Wilpert, *Sarcofagi,* pl. XI, 4 ; CXXXVII, 4 ; CXXXXII, 1, 2, 3 ; CXXXXV, 1 ; CXXXXVI, 1, 2 ; CCXXXVIII, 7 ; CCXVII, 7). Dans d'autres cas, les soldats sont debout, presque de face, et évoquent non plus des captifs, mais la garde d'honneur des enseignes militaires et du *labarum* (cf. Wilpert, pl. XVI, 1, 2 ; XVIII, 5 ; CXXIII, 1 ; CXXXXV, 7 ; CXXXXVI, 2 ; CLXXXXII, 6 ; CCXXXIX, 2 ; CCXXXX, 3). Il arrive également qu'ils soient remplacés par deux cerfs buvant aux quatre fleuves ou par deux brebis (cf. Wilpert, VI, 3 ; CCXXXXI, 2) ou par deux apôtres (Wilpert, CCLXXXXIX, 3, 4). Dans d'autres cas enfin, la scène des Saintes Femmes au tombeau ou le *Noli me tangere* ont trouvé place au pied de la croix (Wilpert, pl. CXXXVII, 8 ; fig. 204).

Ce motif triomphal reste donc à peu près invariant, tandis que ses compléments circonstanciels ou périphériques revêtent diverses formes. Il est en outre introduit dans un contexte plus vaste offrant lui-même de nombreuses variantes : 1) apôtres debout, souvent couronnés, s'avançant en deux files vers la croix en tendant des couronnes ou en faisant le geste de l'acclamation (Wilpert, pl. XI, 4 ; XVIII, 2, 3, 5 ; CLXXXXII, 6 ; CCXXXVIII, 6, 7 ; CCXXXIX, 1, 2 ; CCXXXX, 2, 3 ; CCLXXXXIX, 1, 2, 3, 4) ; 2) scènes de la Passion ou de miracles, avec ou sans apôtres acclamant le trophée (Wilpert, pl. XVI, 1, 2, 3 ; CXXXVII, 4 ; CXXXXII, 1, 2, 3 ; CXXXXV, 1, 7 ; CXXXXVI, 1, 3 ; CXXXVII, 8). La composition tout entière peut être inscrite dans un décor d'arcades ou d'arbres, ou, au contraire, être réduite au trophée seul (Wilpert, pl. CCXXXX, 1, 2, 3) [fig. 25-29].

Au centre d'une composition avec des scènes de la Passion ou des apôtres acclamant ou portant des couronnes, le motif de la croix sommée d'un chrisme peut lui-même être remplacé par d'autres types triomphaux jugés sans doute équivalents : Christ trônant, Christ debout tenant une croix à longue hampe, « *Traditio legis* », etc. Et là aussi le motif central reste à peu près constant, alors que ses compléments latéraux offrent une série de variantes.

***

Ces dernières remarques, jointes à celles que nous avons pu faire à propos des ampoules et des objets ou monuments précédents, nous permettent de préciser le sens qu'il faut attribuer à ces deux types voisins et synonymes : la croix sommée d'un chrisme ou d'un buste. L'analyse de leurs compléments circonstanciels (gardiens du tombeau, femmes au sépulcre, apôtres acclamant ou tendant des couronnes, etc.), le fait qu'ils recouvrent l'un et l'autre des types romains dont le sens est connu et non équivoque, nous autorisent, je crois, à leur attribuer dès à présent une signification triomphale équivalente à celle du trophée. La croix sommée d'un chrisme ou d'un buste signifierait donc simplement le triomphe et le pouvoir cosmiques du Christ manifestés à l'occasion de la Crucifixion ou de la Résurrection, ou figurés en dehors de toute épiphanie terrestre, en tant qu'image du

22. « La lance dorée avait une barre transversale en forme de croix ; en haut, à la pointe, était fixée une couronne faite d'or et de pierres magnifiques qui contenait le symbole de l'appellation salutaire, deux caractères exprimant le nom du Christ par les premières lettres qui le composent, le P étant coupé par le X en son milieu » (*Vita Constantini,* I, II). Cf. également le volet gauche du diptyque de Probus (cath. d'Aoste) avec l'empereur Honorius, debout et en armure, tenant un *labarum* de cette forme de la main droite (VOLBACH, *Elfenbeinarbeiten,* n° 1). Ce même détail souvent remarqué sur les objets étudiés plus haut, pourrait également faire écho à un équivalent célèbre du trophée, le *clipeus virtutis* fixé sur un cippe de manière à former un quasi-trophée (à ce propos cf. G.C. PICARD, *Les trophées romains,* p. 493).

règne eschatologique déjà inauguré. Il ne s'agit donc pas d'une image symbolique de la Crucifixion ou de la Résurrection, puisque l'événement historique du Golgotha ou du matin de Pâques est dépassé, n'est plus que l'occasion ou le prétexte d'une représentation de la victoire du Christ intronisé par sa Passion et sa Résurrection. Les larrons des ampoules et les Saintes Femmes des sarcophages ne sont donc que les compléments circonstanciels d'un signe abstrait servant à affirmer la toute puissance du Christ, leur rôle étant d'être des témoins, de situer à un moment de sa vie terrestre l'épiphanie victorieuse qui a manifesté son pouvoir aux yeux des hommes [23].

Dans ce premier essai d'analyse, je me suis abstenu, autant que je l'ai pu, de recourir aux textes, aux interprétations proprement spirituelles de signes abstraits empruntés de toute évidence au vocabulaire iconographique de la théologie du pouvoir impérial. En revanche, et c'était là l'intérêt de cette démarche, j'ai pu constater que deux éléments propres au niveau romain ont été conservés. L'un est simplement formel : il s'agit du schéma proprement dit ; l'autre, idéel, a trait à l'idée de victoire de règne cosmique.

Ceci dit, on peut alors situer ce simple signe abstrait dans divers contextes, historiques, moraux, symboliques, etc, comme la victoire sur la mort au Golgotha ou à Pâques, comme le triomphe paradisiaque, la protection aux armées ou aux individus, etc. De plus, comme l'Église primitive est dominée par l'idée de la Résurrection, cette image aura des affinités naturelles avec la liturgie et le thème pascal [24]. En fait, par sa victoire sur la mort et son intronisation à la droite du Père, le Christ a créé un ordre nouveau, un nouvel empire auquel sont associés ses fidèles les plus proches, présents, passés ou à venir. Les apôtres et les martyrs seront donc les témoins de sa gloire, les conducteurs de son peuple. Ainsi que le proclame Eusèbe, « l'ère messianique s'est établie visiblement dans le triomphe terrestre du Christ, reconnu par l'empereur comme roi et Dieu ». « L'établissement actuel du royaume eschatologique de Dieu dans le monde est attesté par la victoire de Constantin » [25]. Il n'était donc pas étonnant, dans ces conditions, que l'art impérial, avec sa théologie du pouvoir obtenu ou manifesté par la victoire, servît de véhicule à l'expression de la victoire du Christ. Et de même que les formes, la signification de l'iconographie impériale, a subsisté, comme en filigrane, sous les aménagements chrétiens.

Mais avant d'analyser quelques textes contemporains des monuments qui viennent d'être passés en revue, je résumerai brièvement ce que l'on peut retenir des pages précédentes.

1) Le schéma triomphal, d'origine romaine, traité dans la première partie de ce chapitre apparaît à Rome, dès la seconde partie du IVe siècle au moins (sarcophage n° 171 de l'ancien *Musée du Latran*) sous l'aspect d'une croix sommée d'un chrisme.

2) La croix sommée d'un buste reposant ou non sur son extrémité, thème équivalent ou synonyme, apparaît également très tôt, peut-être même au Ve siècle déjà (abside du Latran). Aux VIe et VIIe siècles, elle est attestée dans toutes les provinces de l'Empire, à Rome (San Stefano Rotondo), en Palestine (ampoules), en Égypte (bracelets-amulettes), en Arménie (stèle d'Erevan), à Constantinople (anneaux de mariages), en Grèce (sceau de Salonique) et même hors des limites de l'Empire (médaillons « avares » de Hongrie).

23. Mon interprétation semble être corroborée par le nombre important de monuments ou objets où le trophée central n'est pas situé historiquement, mais garde sa valeur abstraite de signe victorieux (intaille de Vienne, camées de Paris et de Moscou, médaillon de Munich, sceau de Salonique, abside du Latran ou de San Stefano Rotondo, etc.). Ces derniers exemples, loin d'être des reproductions simplifiées de l'iconographie des ampoules, me paraissent être, au contraire, les témoins de la formule primitive qui sur les ampoules fut introduite dans le contexte de la Crucifixion. Cette manière de situer un signe abstrait, symbole de victoire, de pouvoir cosmique et d'épiphanie divine, dans un contexte historique déterminé, correspond par ailleurs aux habitudes romaines et hellénisitiques relatives à l'expression iconographique de la victoire comme signe d'épiphanie. Cf. par exemple une monnaie athénienne avec un trophée sur une proue de navire commémorant une victoire (le trophée) acquise sur la mer (la proue) par la cité d'Athènes (la chouette) (cf. WOELKLE, *op. cit.*, p. 154, pl. VIII, 2, monnaie attique du British Museum vers 186-147 avant J.-C., *Cat. Attica*, p. 57, n° 418), ou une monnaie de César, avec rappel de ses victoires en Gaule (trophée galate au-dessus d'un captif galate, peut-être Vercingétorix (cf. WOELKLE, *op. cit.*, p. 213, pl. XII, XXXIV et XXXV), ou un denier d'Auguste avec le rappel de son épiphanie actienne (trophée, avec ou sans décor d'arcade, planté sur une proue) (cf. WOELKLE, *op. cit.*, p. 156, 157 et 215, pl. VIII, 3, et XII, 50).

Les victoires de César en Gaule ou celle d'Octave à Actium ; et, par extension, celle du Christ au Golgotha, constituent donc la révélation, *l'épiphanie*, de leur toute-puissance. Elle est indiquée iconographiquement par un signe abstrait pouvant être complété par une indication elle-même abstraite du lieu et du moment où elle s'est manifestée. A ce sujet, cf. notamment G.C. PICARD, *Les trophées romains*, p. 253 et suiv.

24. Ce problème a été notamment étudié, pour l'iconographie, par J. VILLETTE, *La résurrection du Christ dans l'art chrétien du IIIe au VIIe siècle*, Paris, 1957, et, pour les textes liturgiques et dogmatiques, par J.A. JUNGMANN, *La lutte contre l'arianisme germain et l'orientation nouvelle de la civilisation religieuse au début du Moyen Age*, dans *Tradition liturgique et problèmes actuels de pastorale*, Lyon, 1962, p. 15 et suiv., surtout p. 17-19.

25. *Hist. eccl.* X, IV, 14-16 (discours pour la dédicace de la cathédrale de Tyr), cité et commenté par J. CALOT, article *eschatologie* de *DSAM*, t. IV, 1, Paris, 1960, col. 1.046 et suiv. La traduction latine de cet ouvrage fut l'œuvre de Rufin d'Aquilée, vers 402. Cf. *DHGE*, t. XV, Paris, 1963, col. 1.454 et suiv. (J. MOREAU)

3) Dans ces conditions, l'hypothèse d'une antériorité de l'iconographie des Lieux-Saints devrait être abandonnée.

4) Les images de ce type signifient la victoire du Christ, victoire située au moment de la Crucifixion, de la Résurrection, ou transposée hors du temps, au paradis, dans le domaine de l'eschatologie déjà réalisée. Par extension, elles sont utilisées comme *niketeria,* ou comme figures magiques de caractère prophylactique.

5) Aucun élément, aucun signe iconographique ne permettent de supposer que ce thème triomphal ait été rapproché de l'apparition du Fils de l'homme et de son signe de *Matth.* XXIV-XXV.

Le texte le plus intéressant pour une interprétation chrétienne de ce motif est de saint Jean Chrysostome : *et quidem Jesum, ubi mors dominata est, ibidem tropaeum erexisse, hoc est crucem quam tulit contra mortis tyrranidem ; et quemadmodum victores, ita Jesus victoriae signa humeris tulit* [26]. La seconde partie du texte fait allusion au portement de la croix. Le Christ est comparé à un empereur victorieux, portant son trophée sur l'épaule (à ce propos, voir plus bas, chap. III, a, p. 47 et suiv.). La première partie, en revanche, pourrait être appliquée au type triomphal étudié ici : là même où la mort a été vaincue, c'est-à-dire sur la montagne du Golgotha, le Christ a élevé son trophée, en l'occurence une croix sommée d'un chrisme ou d'un buste.

Autre texte, emprunté à Rufin d'Aquilée, le traducteur d'Eusèbe : *crux ista triumphus erat ; Tropaeum enim insigne : triumphus autem devicti hostis indicium est* [27].

Un autre texte du Pseudo-Chrysostome évoque la même idée : *hodie crux fixa est, et saeculum sanctificatum est, ac daemones dispersi sunt, et mors subversa, diabolus vinctus, homo salutus, ac Deus glorificatus* [28].

Le triomphe sur la croix revêt également des dimensions cosmiques pour saint Hippolyte de Rome : Ὡς δὲ τέλος εἶχεν ὁ κοσμικὸς ἀγὼν καὶ πάντα πανταχόθεν διήθλησε νικήσας, μήτε ὡς θεὸς ἐπαιρόμενος, μήτε ὡς ἄνθρωπος νενικημένος, ἔμενεν ἐν μέθοζίῳ ὅλων ἐρριζωμένος, τρόπαιον ἐπινίκιον αὐτὸς ἐν ἑαυτῷ κατὰ τοῦ ἐχθροῦ προτομπεύων καὶ θριαμβεύων [29].

Il serait possible de citer de nombreux autres textes, empruntés à divers auteurs et évoquant tel ou tel détail suggestif des images qui nous occupent. Je ne pense toutefois pas que cette démarche soit très satisfaisante, car elle nous amènerait à nous embarrasser dès le départ de quantités de significations symboliques émises de toute évidence *a posteriori,* à partir de signes ou de symboles iconographiques interprétés individuellement, selon une spiritualité, un contexte scripturaire, des préoccupations apologétiques pouvant varier beaucoup d'un auteur à l'autre. C'est d'ailleurs pour ne pas tomber dans une analyse subjective que j'ai préféré me contenter jusqu'ici de significations qu'il est possible de dégager des seuls signes ou symboles iconographiques, en ne recourant au texte que dans la mesure où les images l'exigeaient expressément.

En nous référant au précédent romain, nous avons pu constater qu'une croix sommée d'un chrisme ou d'un buste signifie simplement le trophée, la victoire et par conséquent le pouvoir cosmique du Christ. Ce double signe étant par ailleurs complété par d'autres éléments iconographiques, nous avons pu, dans certains cas, le considérer comme une manière de signifier l'épiphanie du Christ victorieux. Dans d'autres cas (fibules « avares » de Munich et de Pécs-Gyarvanos, camée de Moscou, anneaux de mariage, bracelets ou pendentifs d'Égypte), étant donné la nature des objets sur lesquels il fut représenté, on peut se demander si cette image à l'origine essentiellement triomphale n'a pas été utilisée à des fins apotropaïques, comme d'autres formules chrétiennes ou payennes récemment étudiées par M. Campbell Bonner [30]. En revanche, nous n'avons pas rencontré d'images de ce type où ait été indiquée, de façon

26. ***In Johan.** 19, **Hom.*** 85, *PG* 59, col. 459. Sur un équivalent plastique de la seconde partie du texte, cf. une plaque d'ivoire du British Museum, VOLBACH, *Elfenbeinarbeiten,* n° 116 (vers 420-430), avec le Christ portant sa croix comme un trophée. Sur d'autres textes semblables à celui-ci, cf. P. STOCKMEIER, *Theologie und Kult des Kreuzes bei Johannes Chrysostomus,* Trèves, 1967, en particulier p. 72 et suiv.

27. *In exposit. symboli, PL* 21, col. 353A.

28. *De cruce et latrone II, PG* 49, col. 413.

29. « Quand prit fin le combat cosmique, et que de tous côtés le Christ eût lutté victorieusement, ni élevé comme Dieu, ni vaincu comme homme, il demeura planté sur les confins de l'univers, produisant triomphalement en sa personne un trophée de victoire contre l'ennemi » (*Homélies pascales,* 55, texte de la fin du IVe siècle, composé à partir du *De pascha,* aujourd'hui perdu, de saint Hippolyte de Rome, éd. et trad. de P. NAUTIN, dans *Sources chrétiennes,* Paris, 1950, p. 180-183). Le caractère cosmique de la victoire est rendu par les signes iconographiques de la couronne des quatre saisons, du Soleil et de la Lune, etc. Ce dernier texte pourrait par ailleurs être appliqué au type des ampoules avec un Christ vêtu du *colobium,* avant-bras étendus, bras serrés contre le corps, sans que la croix apparaisse.

30. *Studies in magical amulets,* Londres, Oxford Univ. Press, 1950. Cf. également A. GRABAR, *Deux portails paléochrétiens et les portails romans,* dans *Cahiers Archéologiques,* t. XX, Paris, 1970, p. 15 et suiv.

évidente, l'identité de la croix-trophée et de la croix-signe de Seconde Parousie.

Nous aboutissons à des constatations voisines dans le cas d'images de présentation similaire où le buste est remplacé par la figure du Christ trônant. Je pense notamment à l'ampoule n° 2 de Bobbio et à une plaque d'ivoire de l'ancienne collection Marquet de Vasselot (Volbach, *Elfenbeinarbeiten,* n° 132). Parmi ces quelques objets, celui de Bobbio nous retiendra spécialement, car il nous donne l'exemple d'une formule qui connaîtra par la suite, surtout au Moyen Age, une descendance assez singulière dans l'iconographie de la Seconde Parousie et du Jugement dernier [fig. 6, 30].

Trônant sur l'arc-en-ciel, tenant le livre et bénissant, le Christ (barbu, avec nimbe crucifère) est porté dans le ciel dans une auréole semée d'étoiles, présentée par deux anges volant. Au registre inférieur est figurée une croix-arbre de vie faite de deux troncs de palmier que vénèrent deux anges aux mains voilées. Une couronne faite de douze bustes d'apôtres en médaillons forme le cadre de la composition [31].

Les deux registres apparaissent également sur l'ivoire Marquet de Vasselot. Le second est toutefois réduit à une sorte de bandeau rectangulaire, solidaire de la plaque (voir à ce propos la partie centrale du volet de diptyque à cinq compartiments du Musée de Ravenne), au centre duquel figure une croix triomphale, du type des ampoules ou du camée de Paris ; deux anges, mains voilées et portant des corbeilles (?) s'avancent vers elle. Au registre supérieur, le Christ trônant, jeune et imberbe, est entouré de deux anges, sans nimbe et les cheveux bouclés, et de deux apôtres debout [32].

Pas plus que sur l'ampoule de Bobbio, il n'est fait allusion à la Seconde Parousie.

De même que pour les deux séries précédentes, nous reconnaissons ici l'adaptation chrétienne d'un schéma impérial romain. Le trophée surmonté d'une divinité dans le ciel, représenté non plus en buste ou à mi-corps, mais entièrement, se rencontre en effet sur l'arc de Marc-Aurèle à Tripoli (avec les chars célestes d'Apollon et de Minerve), vers 163 après J.-C., et sur la *Gemma Augustea* du *Kunsthistorisches Museum* de Vienne (début du Ier s.) où l'empereur Auguste trônant dans le ciel en compagnie de *Roma,* de figures allégoriques et de divinités, accueille son successeur Tibère divinisé à son tour. Au registre inférieur, Mercure et Diane assistent à l'érection d'un trophée, signe victorieux de la *fortune* augustéenne de Tibère qui est promu à l'immortalité [33] [fig. 32-33].

Des images similaires étaient encore en usage à l'époque de Jean Chrysostome qui les a décrites, assez sommairement il est vrai, dans une de ses homélies : ὀυχ ὁρᾶτε καὶ ἐπὶ τῶν εἰκόνων τοῦτο τῶν βασιλικῶν, ὅτι ἄνω κεῖται μὲν ἡ εἰκὼν, καὶ τὸν βασιλέα ἔχει ἐγγεγραμμένον· κάτω δὲ ἐν τῇ χοίνικι ἐπιγέγραπται τοῦ βασιλέως τὰ πρόπαια, ἡ νίκη, τὰ κατορθώματα [34].

Nous retrouvons donc ici les deux registres : *en haut,* l'image de l'empereur victorieux ; *en bas,* les trophées, la victoire et les hauts faits du souverain.

Cette description nous renvoie par ailleurs au décor de la face ouest de la base de la colonne d'Arcadius. Les deux empereurs victorieux occupent le second registre, *en haut,* au-dessous d'une croix inscrite dans un médaillon lauré que soutiennent deux anges-victoires ; au troisième registre, *en bas,* est érigé un trophée vers lequel se dirigent des vaincus que conduisent deux victoires tropéophores ; le quatrième registre enfin est réservé à des amas d'armes et à des captifs entre deux trophées [35] [fig. 52].

Pour ces deux premiers niveaux, romain et paléochrétien, la signification de base semble être la même : victoire et toute puissance du Christ ou de l'empereur, le trophée ou la croix étant l'instrument, le signe du pouvoir universel acquis surnaturellement [36]. Et de même que le pouvoir d'Auguste est transposé dans le ciel, hors de toute contingence

31. Cf. A. GRABAR, *Ampoules de Terre Sainte,* p. 33-34.

32. Cf. VOLBACH, *Elfenbeinarbeiten,* n° 132, p. 66. Sur les diptyques chrétiens à cinq compartiments, dont cette plaque semble être la partie centrale, cf. chap. II, p. 32 et suiv. Voir également VOLBACH, n° 158 (Paris, Musée de Cluny) et n° 160 (Munich, Nationalmuseum) avec Christ trônant dans une mandorle portée par quatre anges, au-dessus d'une petite croix à branches égales et évasées.

33. Sur l'arc de Tripoli, cf. G.C. PICARD, *Les trophées romains,* p. 438 et suiv. Pour la *Gemma augustea, ibid.,* p. 305-306. Reproduction dans Th. KRAUS, *Das römische Weltreich,* Berlin, 1967, fig. 384b. A l'extrême gauche du registre supérieur, Tibère descendant de son char accède à la divinité. En bas, Hermès et Artémis participent à l'érection du trophée.

34. *In inscript. altaris I, 3, PG* 51, col. 71. Cité et commenté par R. DELBRUECK, *Die Consulardiptychen,* Berlin, 1929, p. XXXV, col. 2. Saint Jean Chrysostome compare la mise en page d'un texte évangélique, avec son titre et son texte, aux monuments impériaux. « Ne voyez-vous pas cela aussi sur les monuments des empereurs ? *En haut* se trouve l'image et le nom de l'empereur, *en bas,* sur la base, les trophées, la victoire et les hauts faits du souverain ».

35. Cf. A. GRABAR, *L'empereur,* p. 79, fig. XV ; et R. DELBRUECK, *Consulardiptychen,* p. XXXV, fig. 7.

36. Sur le rôle et la signification du trophée dans la théologie romaine du pouvoir impérial, cf. G.C. PICARD, *Les trophées romains.* Sur le transfert de cette symbolique à l'art chrétien, cf. J. GAGÉ, Σταυρὸς νικοποιός, dans *Revue d'histoire et de philosophie religieuse,* Strasbourg, 1933, p. 370-400 ; et A. GRABAR, *L'empereur,* p. 239 et suiv.

historique, celui du Christ de l'ampoule de Bobbio et de l'ivoire Marquet de Vasselot se présente comme une image de son triomphe eschatologique, après son intronisation céleste. On notera également ces deux analogies thématiques : Christ porté dans le ciel par les anges de l'ampoule de Bobbio, Minerve et Apollon emportés sur leur quadrige ailé de l'arc de Tripoli, cette « apothéose » étant figurée sur les deux monuments immédiatement au-dessus du trophée et de la croix. Comme on le voit, le répertoire iconographique est le même et s'organise à l'intérieur d'ensembles schématiques qui n'ont pas ou peu varié, du début de l'Empire romain au milieu du VIe siècle.

***

Mais si l'on passe du niveau paléochrétien au niveau médiéval, on remarque une importante mutation. Pour étudier cette évolution, nous possédons heureusement une importante série de monuments présentant tous le même schéma, du VIe au XIVe siècle, et même au-delà. Entre l'ampoule n° 2 de Bobbio et le panneau de bronze de San Zeno de Vérone, qui est le plus ancien monument conservé et bien daté de ce troisième niveau, on peut constater, immédiatement, une évidente similitude. Et qu'elle soit due à une imitation directe de l'ampoule (ce qui *a priori* n'est pas exclu étant donné la proximité de Bobbio et de Vérone) ou, plus probablement, à l'utilisation de formules appartenant au même répertoire, ne laisse que peu de doutes, puisque nous retrouvons régulièrement ce même schéma sur des objets et monuments de nature et de provenance diverses, de la fin du XIe siècle au moins à la fin du XIVe siècle.

Les ressemblances sont particulièrement significatives sur ces deux derniers monuments. La présentation : Christ trônant entre deux anges au-dessus d'une croix entre deux anges, est identique, mais de nombreux détails secondaires et pourtant significatifs ont changé. Le panneau de Vérone appartient tout d'abord à la fin d'un cycle christologique, ce qui le situe historiquement. En outre, le Christ trônant du registre supérieur est flanqué de deux anges qui ne portent plus sa gloire, mais des encensoirs et surtout la lance et les clous de la Passion. D'autre part, les deux chérubins du registre inférieur n'adorent plus un arbre de vie, mais présentent une croix-bois du supplice faite de deux troncs sommairement ébranchés. Bien que le schéma général n'ait pas varié, nous sommes désormais en présence d'une Seconde Parousie se référant naturellement à *Matth.* XXIV-XXV [37] [fig. 6 et 34].

On pourra rapprocher le panneau de Vérone d'une plaque d'ivoire en très mauvais état du Musée archéologique de Cambridge, objet qui est daté, sans certitude, de la fin du Xe siècle ou de la seconde partie du XIe siècle. Au registre supérieur, le Christ trônant sur l'arc-en-ciel montre ses plaies, les bras levés, le flanc droit découvert. Il est entouré d'une mandorle portant l'inscription : O VOS OM[NE]S VI[DE]TE MANUS ET P[EDES], et flanqué à sa droite de la Vierge couronnée, et à sa gauche de saint Pierre tenant les clefs. Le registre inférieur est séparé du premier par un bandeau nu. Deux anges volant horizontalement y présentent la croix qui est elle-même flanquée de deux groupes de figures complètement mutilées, debout et semble-t-il de face. Cet ivoire ne me paraît pas antérieur au milieu du XIe siècle, mais s'il pouvait être attribué à la fin de l'époque carolingienne, comme le suppose, je le crois à tort, M. D. Talbot-Rice, il constituerait un précieux jalon entre l'iconographie du second niveau, représentée par l'ampoule de Bobbio, l'ivoire Marquet de Vasselot et le décor carolingien de Saints Nérée et Achille de Rome, et le panneau de Vérone [38] [fig. 6, 30, 31, 34 et 35].

37. Sur les portes de bronze de Vérone, cf. A. BOECKLER, *Die Bronzetüren von Verona*, Marburg an der Lahn, 1931.

38. D. TALBOT-RICE, *English art 871-1100*, Oxford, 1952, p. 163, pl. 32. Cf. également M.H. LONGHURST, *English ivories*, Londres, 1926, n° VII, p. 71-72, pl. 15, qui date cette plaque, plus prudemment, du Xe-XIe siècle.

On retrouve comme un écho de cette présentation sur un dessin, d'environ 1016-1020, du British Museum, Stow ms. 944, fol. 6, le *Liber vitae* de Winchester. Au registre supérieur, le Christ trônant dans la mandorle est également flanqué de la Vierge et de saint Pierre. Il domine une croix monumentale posée sur un autel et flanquée de deux anges volant horizontalement. Le roi Knut le Grand et sa femme sont figurés de part et d'autre de l'autel, au-dessus de sept petits moines à mi-corps, placés sous des arcades et contemplant la scène. Bien que l'idée du Jugement ne soit pas indiquée, le schéma général de ce dessin (le thème de l'autel mis à part) est fort semblable à celui de l'ivoire de Cambridge (E.G. MILLAR, *La miniature anglaise*, pl. XXVa). La croix d'ivoire de Gunhild, nièce de Knut, conservée au Musée national de Copenhague, présente également quelques points de rencontre avec l'ivoire de Cambridge : l'inscription de la mandorle, le Christ montrant ses plaies, les pans de son vêtement enroulés autour de ses bras et retombant en faisceau (M. H. LONGHURST, fig. 1).

Ces deux comparaisons ne permettent guère d'attribuer cet objet au Xe siècle, comme le suppose Talbot-Rice.

Le rapprochement de cet ivoire avec le panneau de bronze de Vérone a été fait par E. Grube, *Majestas und Crucifix*, dans *Zeitschrift für Kunstgeschichte*, t. III, 1957, p. 268 et suiv. Une comparaison de ce dernier objet, trouvé à Elmham (Norfolk) avec l'ivoire Marquet de Vasselot (VOLBACH, n° 132) montre bien l'importante mutation qui s'est opérée au Moyen Age. Sur l'un et l'autre objets, le premier registre est séparé du second par un

La même image réapparaît sur un des panneaux de la chaire du baptistère de Pise exécutée par N. Pisano vers 1250. Elle constitue cette fois-ci le noyau théophanique d'un Jugement dernier se référant à l'évangile de Matthieu. Le Christ, le flanc droit découvert, montre ses plaies. Il est régulièrement flanqué de deux anges, d'apôtres assis et des quatre animaux de saint Jean. Au registre inférieur, les deux anges, comme à Vérone, présentent une croix-bois du supplice. Le Jugement dernier proprement dit se déroule tout autour [39] [fig. 36].

A quelques détails près, cette même présentation se retrouve, à Pise même, sur la chaire de la cathédrale de G. Pisano [40], à Sienne (chaire de la cathédrale de N. et G. Pisano, *Allégorie de la croix* de P. Lorenzetti à la *Pinacothèque*), à Padoue (Jugement dernier de Giotto dans la chapelle de l'Arena), à Pistoia (chaire de G. Pisano), à Grossetto (panneau peint du Musée diocésain), etc. [41] [fig. 37-39].

Le panneau de P. Lorenzetti excepté, tous ces exemples sont complétés par des scènes appartenant en propre au Jugement dernier. Alors même que de nombreux détails varient d'une œuvre à l'autre, le schéma du noyau théophanique reste à peu près constant. Le Christ trônant apparaît régulièrement au-dessus d'une croix-signe de Seconde Parousie flanquée ou présentée par deux anges.

Quelques détails ou additions significatives doivent être relevés. Sur le panneau du baptistère de Pise, les quatre animaux complètent ce que nous pouvons appeler maintenant la Vision de Matthieu. A Sienne (chaire de la cathédrale) et à Pise (chaire de la cathédrale), les deux anges qui flanquent la croix sont revêtus d'habits sacerdotaux [42]. A Vérone, à Pise (chaire du baptistère) et à Padoue, les anges présentent la croix par ses deux extrémités horizontales ; à Sienne (panneau de la *Pinacothèque*) et à Grossetto (panneau du Musée diocésain), en la tenant par la haste, deux manières que nous avons déjà rencontrées sur les monuments et objets du niveau paléochrétien (par la haste : camées de Paris et de Moscou ; par les extrémités : médaillons de Munich et de Hongrie).

Le Jugement dernier étant désormais son complément circonstanciel le plus courant, le type que nous étudions est donc situé, sans équivoque, à la fin des temps, à l'instant de la Seconde Parousie. Nous nous trouvons donc en présence d'une nouvelle adaptation du schéma triomphal paléochrétien où l'idée du Retour, peut-être présente, n'était pas signifiée et ne jouait donc qu'un rôle secondaire. Sans recourir aux textes, en nous fondant uniquement sur une analyse iconographique, nous pouvons donc définir les staurophanies de ce troisième niveau comme des apparitions apocalyptiques du Signe du Fils de l'homme ; et les images du Christ trônant du registre supérieur, comme des théophanies de la fin des temps. Cela signifie donc aussi que ce schéma triomphal, issu de l'art romain, est réinterprété comme une image synthétique des chap. XXIV et XXV de Matthieu, texte dont il a été rapproché pour ses analogies formelles et sémantiques. Cette scène étant ainsi située à la fin des temps et confondue avec le discours apocalyptique du Christ de *Matth.* XXIV-XXV, il était naturel que des éléments périphériques, appartenant à des visions considérées comme synonymes, se soient attachés à elle de manière à constituer une représentation synthétique du Retour du Christ et du Jugement. L'Ascension-Seconde Parousie, dans le sens d'*Actes,* I, 11, et la Vision d'*Ap.* IV-V transposée en *Ap.* XX, 11 ne pouvaient donc manquer d'en être rapprochées [43].

Le fait le plus intéressant pour notre étude n'est pourtant pas cette prolifération d'éléments secondaires relatifs à la Seconde Parousie et au Jugement.

trait horizontal, et la présentation, à quelques détails près, est semblable. Le Christ de l'ivoire paléochrétien trône sous une sorte de baldaquin, en compagnie de deux apôtres et de deux anges aux cheveux bouclés, dont on n'aperçoit que la tête. Le Christ de l'ivoire de Cambridge montre ses plaies et trône sur l'arc-en-ciel, en compagnie de la Vierge et de saint Pierre, deux personnages qui apparaissent fréquemment dans l'iconographie médiévale du Jugement. L'image est donc bien située à la fin des temps, alors que l'idée du Retour n'est pas indiquée sur l'ivoire Marquet de Vasselot. Au registre inférieur, les deux anges de la plaque de Cambridge font apparaître dans le ciel le Signe du Fils de l'homme, tandis que la croix triomphale aux extrémités évasées de l'ivoire paléochrétien est adorée par deux anges aux mains voilées.

39. A peu de choses près, nous retrouvons ici la formule de Vérone. La présentation de la croix est la même, le schéma est identique, mais il est complété d'un Jugement dernier et d'allusions à la *Majestas Domini.*

40. Reproduction dans H. KELLER, *G. Pisano,* Vienne, 1942, pl. 123. Les deux anges, comme à Sienne, sont revêtus d'habits sacerdotaux. Ils ne présentent pas la croix, mais se tiennent à ses côtés, conformément à de nombreux exemples paléochrétiens.

41. Sur ces derniers exemples, cf. Y. CHRISTE, *Vision de Matthieu II,* p. 62 et suiv., fig. 8-12. Autre exemple attribué à l'école de Turone dans l'église Santa-Anastasia de Vérone. Cf. E. ARSLAN, *Una tavola di Altichiero e un affresco di Turone,* dans *Commentari,* t. XI, fasc. 2, Rome, 1960, p. 103-106, pl. XXXII, 2 ; XXXIII, 4 ; XXXIV, 5 et 6.

42. Il en est de même à Pise, sur la chaire de la cathédrale. A ce sujet voir plus bas, p. 31 et suiv.

43. A ce propos, cf. Y. CHRISTE, *Les grands portails romans,* Genève, 1969, p. 135 et suiv., p. 154 et suiv. L'iconographie théophanique romane, qui, en partie, dépend du précédent carolingien, est en effet de caractère synthétique et vise à rendre visible, *facie ad faciem,* une apparition du Christ à la fin des temps. Elle ne fait guère de différence entre les images de l'abside et celles de la façade ou du portail.

Cela, en effet, n'a pu se produire que dans la mesure où la vision du Christ et de la croix qui en constitue le noyau a fini par être conçue comme une révélation deutéro-parousiaque, située non plus dans le ciel, dans le présent eschatologique, mais à la fin des temps, *à l'horizon de l'histoire.* Cette mutation d'ordre sémantique plus que formelle s'est pourtant accomplie bien avant l'époque romane. A cet égard, le grand tournant dont va dépendre, en grande partie, le développement de l'art médiéval occidental, se situe à l'époque carolingienne, au Nord des Alpes et non plus à Rome. Bien que très peu de monuments soient conservés, les *tituli,* les quelques restes de peintures murales qui subsistent encore, de même que les ivoires et le décor des manuscrits, offrent suffisamment de points de repère [44].

Une première nouveauté, à mon sens capitale, doit être soulignée. La Seconde Parousie, sous diverses formes, pénètre dans l'abside. Les *tituli* d'Alcuin, de Flore de Lyon, de Raban Maur, etc., ne laissent semble-t-il aucun doute, d'autant que leur caractère parousiaque, leur dominante commune, se retrouve dans l'abside centrale de Munster [45]. Le Christ est régulièrement désigné comme un Juge, ce qui n'était pas le cas précédemment, du moins avec une telle netteté, au Ve, VIe et VIIe siècles, en Italie ou dans l'Empire byzantin [46].

Depuis quelques temps, il est vrai, de nombreux historiens ont pris l'habitude, je le crois à tort, de considérer le décor absidal de Sainte-Pudentienne ou les staurophanies de Saint-Apollinaire in Classe ou du « mausolée » de Galla Placidia à Ravenne comme des apparitions eschatologiques (ce terme étant entendu dans sa seule perspective parousiaque), se référant directement à *Matth.* XXIV-XXV. Cette tendance, dégagée tout d'abord par E. Peterson et E. Stommel, reprise ensuite par E. Dinkler et F. W. Deichmann, ne me paraît pas satisfaisante car elle s'appuie d'une part sur une interprétation unilatérale de l'idée d'eschatologie, et d'autre part sur une série de textes et de commentaires liturgiques orientaux, pour la plupart antérieurs au IVe siècle et à la conversion de l'Empire au christianisme. Dans ces écrits, l'attente de la Seconde Parousie, considérée comme imminente, est naturellement l'un des thèmes essentiels, mais au IIIe siècle déjà, et surtout à partir du IVe siècle, elle ne revêt plus la même acuité, les persécutions ayant cessé, l'Empire étant devenu chrétien, le royaume de Dieu tant attendu s'étant en quelque sorte établi visiblement sur la terre par la conversion de Constantin [47]. Il convient également de se garder d'appliquer, par analogie, à des œuvres paléochrétiennes présentant le même schéma que des œuvres médiévales, leur signification postérieure, laquelle, on l'a vu, pouvait subir des modifications, alors même que l'image ne variait guère. Étant donné qu'aucun signe iconographique déterminant ne marque les théophanies absidales romaines ou ravennates du sceau de la fin des temps, je considérerai pour l'instant leur caractère parousiaque comme secondaire ou marginal, ce caractère étant en revanche primordial, et signifié distinctement, dans les *tituli* carolingiens. Que le décor absidal des églises paléochrétiennes soit avant tout eschatologique est chose certaine ; que certains textes de Cyrille de Jérusalem, de Jean Chrysostome ou d'Augustin fassent allusion ou même décrivent le Jugement en évoquant le triomphe du Christ et la Seconde Parousie est également certain, mais dans la mesure où la Résurrection des morts et la séparation proprement dite n'apparaît pas dans l'iconographie d'une abside ou de tout autre décor, je me refuse à prendre le risque de confondre images du règne déjà inauguré et images de Seconde Parousie, de transposer la grande vision intemporelle d'*Ap.* IV-V en *Ap.* XX, 11, à l'endroit où celui qui trône est devenu le Juge du monde. Et quand bien même il est habituel de rencontrer cette substitution dans l'art médiéval, je persiste à croire que c'est commettre un abus que de considérer les Vivants de Sainte-Pudentienne comme des figures de la fin des temps ; ou sa croix triomphale, comme le signe du Retour.

44. Sur les *tituli* des absides carolingiennes, cf. p. 12-13 et 27. Ces textes ont été réunis et commentés par J. von SCHLOSSER, *Schriftquellen zur Geschichte der karolingischen Kunst,* Wien, 1896 ; voir également plus bas, chap. V, p. 80 et suiv.

45. Cf. L. BIRCHLER, *Zur karolingischen Architektur und Malerei in Münster-Müstair,* dans *Frühmittelalterliche Kunst in den Alpenländern, Actes du IIIe Congrès intern. pour l'étude du Haut Moyen Age,* Olten-Lauzanne, 1954, p. 167-252.

46. Le programme absidal de Nola (cf. C. IHM, *Apsismalerei,* p. 80-83, 180-181, fig. 17) faisait pourtant une place à la séparation des bons et des mauvais. Il ne s'agit toutefois que du symbole liminaire de la séparation des brebis et des boucs (*Christus in agno... quasi judex rupe superstat - laevos avertitur haedos pastor et emeritos dextra complectitur agnos*), le thème essentiel étant celui d'une proclamation du dogme trinitaire. Par comparaison, cf. *tituli* de Gorze : *Hac sedet arce Deus judex,* de Saint-Jean de Lyon : *Cum Christo adveniet certo qui tempore judex,* des *Carmina Sangallensia : Hic resident summi Christo cum judice sancti...*

47. Sur ce problème, cf. notamment J. GALOT, article *eschatologie,* dans *DSAM,* t. IV, 1, Paris, 1960, col. 1020-1059. Sur l'importance de la conversion de l'Empire au Christianisme, cf. surtout col. 1046-1048. Sur la distinction qui me paraît devoir être faite entre le règne présent ou déjà inauguré et la Seconde Parousie, voir plus bas, chap. V, p. 76, et plus haut p. 12-14.

Quant aux Visions « prophétiques » (et il en est de même des visions inspirées de l'*Apocalypse* de Jean), leur caractère parousiaque me paraît également secondaire. Que ce soit à Rome, sur l'arc triomphal de Saint-Paul-hors-les-Murs ou de Saints-Cosme-et-Damien, ou dans les absides paléochrétiennes d'Égypte, d'Asie Mineure ou de Salonique, ce qui est affirmé est en effet davantage la divinité, le règne cosmique du Christ égal au Père, que l'annonce de son retour à la fin des temps. Le recours à l'*Apocalypse* ou aux Visions de l'Ancien Testament permettait ainsi d'attribuer au Fils intronisé les attributs et une dignité semblable à celle du Père, thème majeur et dominant dans le contexte anti-arien des grands conciles œcuméniques. Les travaux de M. J. A. Jungmann sur l'évolution de la christologie apportent à cet égard de très précieux renseignements [48], et jettent une lumière nouvelle sur l'iconographie théophanique, dominée par la figure du Christ, de l'époque paléochrétienne.

En raison de l'importance accordée aux visions de la fin des temps dans l'art carolingien, je serais donc tenté de situer à cette époque la révolution d'ordre sémantique qui a permis à un schéma triomphal comme celui de l'ampoule n° 2 de Bobbio de se transformer en une Vision de Matthieu du type du panneau de bronze de Vérone ou de l'ivoire de Cambridge. Je le serai d'autant plus que cette hypothèse se trouve en partie confirmée par les *tituli* décrivant un Jugement dernier des *Carmina Sangallensia* VII.

Hi vero versus in fronte occidentali in spatio quod supra tronum est (*in spatio quod supra tronum est* = au-dessus de l'abside, sur l'arc triomphal, *tronus* devant être entendu je crois dans le sens architectural d'abside) :

> *Ecce tubae crepitant quae mortis jura resignant*
> *Crux micat in caelis, nubes praecedit et ignis.*

Hi etiam subtus tronum inter paradysum et infernum (*subtus tronum* = sous l'abside, c'est-à-dire à la base de la conque absidale) :

> *Hic resident summi Christo cum judice sancti*
> *Justificare pios, baratro damnare malignos* [49].

Dans quelle mesure ces quelques vers décrivent ou interprètent l'image, nous ne le savons pas. Nous pouvons cependant affirmer que l'auteur du poème distingue les deux moments du discours prophétique de *Matth.* XXIV et XXV : 1) l'apparition de la croix brillant dans le ciel au milieu des nuées et des éclairs (*Matth.* XXIV, 30) ; 2) l'apparition du Christ-Juge, trônant au milieu des apôtres qui assistent ou président avec lui à la séparation des bons et des mauvais (*Matth.* XXV, 31 et *Matth.* XIX, 28). Au cas où l'on n'accepterait pas la traduction de *tronus*

48. Les théophanies « prophétiques » de Saint-Georges de Salonique, d'Osios David, de Baouit, du Latmos, les « Ascensions » du linteau copte du Caire, des ampoules de Terre-Sainte, ou du *Rabulensis* semblent avoir pour préoccupation majeure de donner au Christ une majesté divine et surnaturelle qui ne soit pas inférieure à celle du Père. Cette transcendance absolue de la divinité que tendent à traduire ces *imagines clipeatae* avec un Christ trônant ou debout, représenté presque toujours de face au milieu de puissances célestes, pourrait s'expliquer, en partie, par le climat de lutte anti-arienne qui, à partir du IVe siècle, en Orient, a fortement marqué toutes les manifestations religieuses : théologie, liturgie, art, etc. L'exemple le plus caractéristique que fournit J.A. Jungmann est celui du remplacement, vers 350, à Antioche, de la formule *Gloire au Père par le Fils et dans le Saint-Esprit*, par la formule anti-arienne *Gloire au Père et au Fils et au Saint-Esprit*, que l'on retrouve comme proclamation de foi orthodoxe, à la fin du VIe siècle, en Espagne, lors de l'abandon par les Visigoths de l'hérésie arienne. La violence de la lutte anti-arienne en Orient fait contraste avec la relative sérénité de l'Occident (l'Espagne exceptée) où la victoire sur l'arianisme fut acquise sans grand éclat, notamment à Rome. Le Père Jungmann a cependant montré comment ce climat de lutte, entretenu en Espagne par la présence des Visigoths ariens, était ensuite passé en Irlande, et de là sur le continent à l'époque carolingienne. En fait, en Orient comme en Occident, la bataille s'est toujours jouée autour de la place qu'il fallait accorder au Fils, les orthodoxes (de même que les monophysites) n'acceptant nulle part la moindre allusion à une infériorité du Fils par rapport au Père.

On voit immédiatement l'importance que cela pourrait prendre pour l'art sacré. Les orientaux orthodoxes ainsi que les monophysites ne supportant pas la doxologie jugée suspecte ou hérétique du *Gloire au Père par le Fils dans le Saint-Esprit* ne devaient pas supporter davantage des formules iconographiques telles que le Christ gravissant une colline et saisi au poignet par la main de Dieu.

De fait, si l'on compare les théophanies absidales de Rome, de Naples ou de Ravenne à celles de l'Orient, on remarque assez vite que l'expression de la divinité du Fils est beaucoup plus marquée en Orient qu'en Italie. L'attitude des témoins révèle en outre d'autres sentiments, à Rome ou en Orient. La stupeur sacrée, un sentiment si souvent analysé dans les écrits anti-anoméens du IVe siècle, n'apparaît pratiquement jamais dans l'art romain du premier millénaire. Il est en revanche fréquemment exprimé dans les œuvres orientales, et, à partir de l'époque carolingienne, il devient en Occident, et tout particulièrement à l'époque romane, l'attitude qui semble être de règle pour les témoins d'une théophanie.

On pourrait donc se demander si ce climat de polémique anti-arienne que J.A. Jungmann a relevé dans la pensée carolingienne n'est pas en partie responsable de l'introduction dans l'art d'Occident de formules nouvelles empruntées directement ou indirectement à l'iconographie théophanique paléochrétienne en usage dans le monde byzantin et en Orient. On doit en effet constater que les formules iconographiques choisies pour les portails et les absides du XIIe siècle trouvent plus d'écho dans l'iconographie paléochrétienne en usage en Orient que dans celle de Rome ou de l'Italie. Cela, évidemment, ne signifie pas que l'art chrétien du XIIe siècle ait directement emprunté ses modèles à l'Orient, comme le pensait M. Mâle. Ce mouvement, dans la mesure où on peut le reconnaître par quelques sondages dans le domaine de la liturgie et de l'iconographie, a commencé dès l'époque carolingienne, où il se superpose à la tradition iconographique des absides romaines. Cf. J.A. JUNGMANN, *La lutte contre l'arianisme germanique et l'orientation nouvelle de la civilisation religieuse au début du M.A.*, dans *Tradition liturgique et problèmes actuels de pastorale,* Lyon, 1962, p. 15-86.

49. Cf. J. von SCHLOSSER, *Schriftquellen zur Geschichte der karolingischen Kunst,* Wien, 1866, n° 931, p. 326-332.

par abside, on ne peut savoir si le trône dont il est question ici, et qui semblerait donc occuper le centre de la composition, est celui du Christ ou celui d'une Etimasie. Mais que la croix soit supportée ou non par un trône importe peu pour notre propos, puisque de toute manière nous avons affaire à une staurophanie de la fin des temps. Il paraît toutefois plus assuré qu'elle était représentée seule au centre de l'arc triomphal, c'est-à-dire immédiatement au-dessus du Christ trônant dans l'abside, auquel cas nous aurions l'image inverse de Pise ou de Vérone, c'est-à-dire un type de Vision de Matthieu tout à fait synonyme à celui-ci. Nous en étudierons les origines et le développement au chapitre suivant [50].

*
* *

Au terme de ce premier chapitre, et sur la base de ce qui vient d'être dit, nous pouvons prendre le risque de tirer provisoirement quelques conclusions d'ordre général. Les Visions de Matthieu qui dépendent de ce premier type n'ont pas été conçues directement comme une illustration synthétique des chap. XXIV et XXV de l'évangile de Matthieu. Le texte n'est donc pas à l'origine de l'image qui est censée l'illustrer, car on s'est contenté de le couler dans un schéma de composition préétabli, emprunté à l'iconographie du pouvoir impérial, et adapté ensuite au triomphe eschatologique du Christ. Cela n'exclue pas que l'art chrétien primitif ait pu le considérer comme une sorte de traduction de la Vision de Matthieu, mais une interprétation de ce genre, tout en restant possible, doit être soutenue avec de grandes réserves, puisqu'elle n'est pas signifiée par des éléments iconographiques précis et ne prêtant pas à confusion, comme se sera le cas au Nord des Alpes, à partir de l'époque carolingienne.

A Pise, à Vérone ou à Padoue, on constate en effet que les compléments circonstantiels sont directement empruntés au symbolisme du Jugement dernier. Sur les monuments paléochrétiens, tout au contraire, des anges, des saints, des martyrs ou des apôtres (portant souvent des couronnes ou faisant le geste de l'acclamation) entourent ce trophée, sans qu'apparaisse jamais la moindre allusion à la Résurrection des morts ou à la séparation des bons et des mauvais. Le fait que cette image ne soit pas à proprement parler une création de l'art chrétien, mais une sorte d'adaptation du triomphe des empereurs à celui du Christ, ne facilite évidemment pas son interprétation nouvelle. Simple signe abstrait recouvrant une réalité à la fois historique (la Crucifixion et la Résurrection) et eschatologique (le règne cosmique du Christ intronisé par sa Passion et sa Résurrection), ce motif schématique pouvait être revêtu de significations spirituelles plus élevées et plus complexes. Faute de signes iconographiques ne prêtant pas à confusion, nous ne pouvions cependant pas nous égarer dans cet univers symbolique. Nous nous sommes donc contentés jusqu'ici des seules significations objectives que nous pouvions déduire de signes concrets. Ce n'est qu'au terme d'un examen critique portant essentiellement sur l'analyse iconographique des images que nous pourrons demander aux textes d'autres informations.

50. Voir à ce propos Y. CHRISTE, *Le Jugement dernier des Carmina Sangallensia,* dans *Zeitschrift für Archäologie und Kunstgeschichte,* t. 29, Zürich, 1972, p. 19-22.

Aux deux exemples médiévaux de Vérone et de Cambridge, avec Christ trônant au-dessus d'une croix, on ajoutera cette autre image, tout à fait similaire, du collatéral sud de la cathédrale de Faras, en Nubie (peinture aujourd'hui déposée au Musée de Varsovie). Le Christ trônant, croix à longue hampe dans la main droite, domine une croix adorée par deux anges, selon un schéma comparable à celui de l'ivoire de Cambridge. A ce propos, voir P. van MORSEL, *Die Nubier und das Glorreiche Kreuz,* dans *Bulletin Antieke Beschaving,* t. XLVII, 1972, fig. 7. L'image nubienne repose évidemment sur un schéma paléochrétien (voir l'ivoire Marquet de Vasselot) ayant subi en Afrique comme en Occident une même évolution. La peinture Faras est datée du Xe siècle.

EXCURSUS I

SUR QUELQUES VERSIONS RARES D'UN BUSTE OU D'UNE IMAGE ENTIÈRE DU CHRIST SURMONTANT UNE CROIX.

Sur de nombreux objets ou monuments paléochrétiens, la figure du Christ, nous l'avons vu, est très souvent réduite à son seul buste, sommant ou dominant une croix. Cette présentation qui fut notamment conservée par Torriti à l'extrême fin du XIIIe siècle, dans l'abside du Latran, se retrouve sur un triptyque-reliquaire mosan, de la seconde moitié du XIIe siècle, conservé au Musée des Cloisters à New York[1]. Ses deux volets latéraux sont réservés à la Résurrection des morts. Deux anges, *praecones mundi,* sonnent de la trompette et rapellent les morts à la vie. Au centre, dans la partie supérieure, deux anges dont l'un, *Veritas,* tient la lance, l'autre, *Judicium,* le roseau avec l'éponge, présentent une cavité contenant une relique de la croix. Le buste du Christ émergeant des nuages (montrant ses plaies, le flanc droit découvert) est figuré sur le fronton, accompagné d'une inscription relative au Fils de l'homme montrant ses plaies.

Les prémices du Jugement sont figurés dessous, dans la partie inférieure de la plaque centrale. *Justicia* — une femme nimbée et couronnée dans une mandorle — tient une balance aux plateaux égaux que deux figures agenouillées et nimbées — *Misericordia* et *Pietas* — semblent soutenir de leurs mains voilées. Deux anges en buste et les têtes des morts qui vont comparaître complètent le tableau [fig. 41].

Sur cet objet, un reliquaire de la vraie croix orné d'émaux, on remarquera tout d'abord que la présentation antique a été conservée, mais que la croix triomphale a fait place à un morceau du gibet contenu dans un petit cadre rectangulaire que soutiennent deux anges tenant eux-mêmes d'autres instruments de la Passion. Tout en restant fidèle au schéma antique, cette image a pourtant suivi son évolution naturelle, puisqu'elle figure l'apparition du Christ-Juge montrant ses plaies, et celle de son signe, le bois du Calvaire, conformément aux usages contemporains.

Le second monument que je voudrais ajouter aux exemples de ce premier chapitre est figuré sur la partie supérieure de la façade de Saint-Pierre d'Angoulême, où il occupe toute la surface de la grande arcade médiane[2]. Il ne représente d'ailleurs que l'élément proprement théophanique d'une vaste Ascension-Seconde Parousie, laquelle s'étend sur toute la façade.

Au registre supérieur apparaît l'image du Christ, debout et étendant les mains, dans une mandorle surmontée de nuages et d'anges et entourée des symboles des évangélistes. La gloire du Fils de Dieu repose elle-même sur deux rameaux feuillus en forme de rinceaux, dont la souche jaillit de l'extrados de la grande baie médiane. Deux couples d'anges l'adorent, tandis que deux autres anges, la tête renversée, désignent la théophanie aux apôtres et à la Vierge, figurés aux étages inférieurs.

Bien que la croix soit figurée ici sous la forme d'un véritable arbre de vie, et que l'image du Christ qui la domine soit une combinaison d'Ascension et de Majestas Domini, on reconnaît néanmoins le type de l'ampoule n° 2 de Bobbio, avec son Christ en gloire porté par deux anges et sa croix-arbre de vie faite de troncs de palmier, également adorée par deux anges. A Angoulême, il s'agit cependant d'une vision parousiaque, préludant au Jugement, lequel est toutefois réduit à quelques allusions aux supplices de l'enfer (le mauvais riche tourmenté par les démons), les anges sonnant de la trompette n'ayant été qu'ébauchés [fig. 42].

Cette présentation, que je crois héritée de l'Anti-

1. A. FROLOV, *Les reliquaires de la Vraie Croix,* Paris, 1965, n° 394, fig. 16. Cf. aussi P. VERDIER, *Un monument inédit de l'art mosan du XIIe siècle, la crucifixion symbolique de Walters Art Gallery,* dans *Revue belge d'archéologie et d'histoire de l'art,* t. XXX, Anvers, 1961, p. 115-176.

2. Y. CHRISTE, *Les grands portails romans,* p. 85-86.

quité romaine et de l'art paléochrétien, nous la retrouvons également en Orient, dans l'église géorgienne de Öşt Vank (Oshki), où elle occupe la face ouest d'une colonne hexagonale située dans le « bas-côté » droit. Ce monument peut être daté, avec assez de certitude, de la seconde moitié du xe siècle [3]. Une grande croix, aux extrémités évasées est figurée au milieu d'une sorte de palmette faite de feuilles grasses et répétée trois fois sur la colonne. Elle est surmontée d'une tête portant couronne et barbe à deux pointes, et flanquée, à sa gauche, d'un suppliant à genoux qu'une inscription aujourd'hui illisible désignait comme le donateur Grigol implorant la clémence du Christ. Son attitude et l'inscription qui l'accompagne évoquent immédiatement le groupe sculpté sur le sommet du fût. Il s'agit en effet d'une Déisis avec un Christ debout, tenant un rouleau déployé de la main gauche, la Vierge à gauche (elle-même avec un rouleau) et Jean-Baptiste à droite (également avec un rouleau). Dans sa totalité, suppliant, croix et Déisis, cette image évoque donc le Jugement dernier, ou plus exactement, la Seconde Parousie, la croix étant assimilée au Signe du Fils de l'homme de Matthieu [fig. 43].

On pourrait alors se demander ce que signifie cette étrange tête princière, de type arabe, au-dessus de la croix. Certes, on aperçoit sur cette même face (et également sur la face sud-est) d'autres têtes isolées placées en quinconce, mais celle-ci est la seule à être couronnée. Son aspect princier, sa position au-dessus de la croix permettent, je le crois, de voir dans cette étrange composition un souvenir du type paléochrétien traité précédemment et dont il existe un exemple similaire en Arménie, au Musée d'Erevan [4]. Sur cette stèle provenant des fouilles de Dvin, la croix et le feuillage qui l'entoure sont par ailleurs très proches de ce qu'on voit sur la colonne d'Öşt Vank. Cela laisserait donc supposer que le sculpteur géorgien du xe siècle a utilisé une image semblable à celle de la stèle de Dvin, sans toutefois en comprendre le sens. De toute manière, le fait que cette même image ait été intégrée à une composition relative à la comparution des hommes devant leur Juge, semble montrer qu'une évolution semblable à celle qui a touché l'Occident s'est également produite en Asie Mineure, à peu près à la même époque, et à partir des mêmes éléments. Nous en verrons un autre exemple, au chapitre suivant, à propos du Jugement dernier de Gülli Dere, en Cappadoce [5].

3. D. WINFIELD, *Some early medieval figure sculpture from Nord-East Turkey*, dans *Journal of the Warburg and Courtauld Institutes*, t. XXXI, 1968, p. 33 et suiv.
4. Voir plus haut, chap. I, p. 18, n. 15.
5. Voir plus bas, chap. II, p. 41 et suiv.

CHAPITRE II

CHRIST EN BUSTE, TRONANT OU DEBOUT, AU-DESSOUS DE LA CROIX

Que les chrétiens du Bas-Empire aient utilisé des formules directement empruntées au répertoire des victoires impériales montre suffisamment le caractère *arbitraire* de cette iconographie nouvelle. Le caractère conventionnel de ce répertoire nous apparaît ainsi comme un fait essentiel, et comme une limite pour qui veut en dégager une signification, sinon précise, du moins non entachée de symbolisme *a posteriori.*

Ce symbolisme non signifié est toutefois important. On ne devrait donc pas l'écarter, alors même que l'on doit constamment s'en méfier puisqu'il appartient nécessairement à une interprétation individuelle et subjective d'un système iconographique.

La comparaison de deux groupes d'images dont on peut dire que l'un dérive ou dépend de l'autre permet heureusement d'établir une première assise de significations. Celles-ci sont en principe objectives, parce que signifiées, mais on ne peut s'en contenter, car ce serait admettre que l'art chrétien n'a pas de théologie propre, n'est que le sous-produit de l'art romain. Dans ces conditions, on ne peut donc ni rejeter le précédent romain, ni refuser de demander aux textes des précisions que l'on sait nécessaires, et que l'image ne révèle pas d'elle-même avec la clarté souhaitée. Mais nous entrons alors, peu ou prou, dans le domaine de la subjectivité, le risque d'erreur augmentant à mesure que l'on essaie de superposer textes et images, langage théologique ou littéraire et système iconographique.

Ces quelques réserves faites, nous pouvons aborder l'analyse d'une nouvelle série d'images présentant également les trois niveaux précédemment décrits : 1) romain et impérial, 2) paléochrétien (lequel, très souvent, se superpose au premier), 3) médiéval, avec l'apparition distincte et sans équivoque de la Seconde Parousie et du Jugement.

De la même manière qu'au chapitre premier, nous nous attacherons tout d'abord à décrire les exemples du second niveau, avant d'en souligner les antécédents romains et d'en étudier le développement médiéval.

Le premier et le plus important monument de cette série est le décor absidal de Sainte-Pudentienne, œuvre romaine du début du ve siècle [1]. Le Christ est assis, en compagnie des apôtres, sur un haut trône gemmé placé au-devant d'un portique au-dessus duquel se profilent les édifices de Jérusalem. Deux figures de femmes, debout de part et d'autre du trône, tendent des couronnes (semble-t-il au Christ) au-dessus de Pierre et Paul placés au premier rang des apôtres. Au registre supérieur, une grande croix d'orfèvrerie, érigée sur un tertre et placée dans l'axe de l'abside, domine le Christ. Elle est flanquée des quatre Vivants d'*Ap.* IV, 4, figurés à mi-corps, la tête tournée vers le centre, et sans livre. Un troisième registre aujourd'hui perdu, montrait en outre, à la base de la conque, l'Agneau sur un tertre avec la colombe et les fleuves du Paradis [fig. 44].

Si on laisse de côté le registre supérieur, avec la croix et les Vivants, le reste de la composition se retrouve, à quelques détails près, sur quelques sarcophages « à décor architectural » où l'on voit également un Christ trônant, mais imberbe, entouré d'apôtres eux-mêmes trônant, dans un décor de portiques, le bandeau inférieur étant occupé par un agneau seul ou flanqué de deux suppliants (Milan, Saint-Ambroise ; Marseille, Saint-Victor) ou d'une théorie de brebis [2] [fig. 45].

1. Cf. C. IHM, *Apsismalerei*, p. 130-132 ; et surtout G. MATTHIAE, *Mosaici*, p. 55 et suiv. Ajouter E. DASSMANN, *Das Apsismosaik von S. Pudentiana in Rom,* dans *Römische Quartalschrift,* t. LXV, 1-2, Rome, 1970, p. 67 et suiv. Sur cet article, paru après la rédaction de ce chapitre, cf. *infra,* chap. V, p. 76, et ici même, n. 4.

2. Cf. C. IHM, *Apsismalerei*, pl. II, 1 (Milan) et G. WILPERT, *Sarcofagi*, pl. XXXIV (Marseille).

Le noyau central de la partie subsistante — croix triomphale au-dessus d'un Christ trônant — se retrouve également sur trois volets de diptyques chrétiens à cinq compartiments, dont il sera question plus bas. Les quatre animaux, en revanche, constituent une sorte d'*hapax,* car ils n'apparaissent pas à cet endroit, c'est-à-dire dans l'abside, dans les programmes romains ou ravennates du premier millénaire [3].

La présence de la croix et des Vivants ailés de l'*Apocalypse,* le fait que le Christ siège au milieu des apôtres sur un haut trône gemmé ont incité M. E. Dinkler à rapprocher l'ensemble de cette image des chap. XIX, 28, XXIV, 30 et XXV, 31 de Matthieu et du chap. XX, 11 de l'*Apocalypse.* L'historien allemand distingue ainsi dans le programme absidal de Sainte-Pudentienne une Vision de la Seconde Parousie, le Christ étant alors le Juge de *Matth.* XXV, 31 et d'*Ap.* XX, 11 ; les apôtres, ses assesseurs (*Matth.* XIX, 28) ; la croix gemmée, le Signe du Fils de l'homme de *Matth.* XXIV, 30 [4].

Cette interprétation, que je ne partage pas, est évidemment possible. Je doute pourtant que le caractère historique, ou deutéro-parousiaque de cette image soit aussi net, aussi radical que le pense M. E. Dinkler. Et j'hésite d'autant plus à le suivre que la dominante parousiaque qu'il croit reconnaître dans l'abside n'apparaît pas, ou reste tout à fait en marge, sur les volets de diptyques du VIe siècle où nous reconnaissons, à peu de chose près, le même schéma qu'à Sainte-Pudentienne [5]. Le Christ trônant, parfois flanqué de deux « anges » et de deux apôtres, occupe le compartiment central. Au-dessus de lui, dans le bandeau très allongé formant la bordure supérieure de la plaque, deux anges-victoires planent dans le ciel en présentant une croix triomphale à branches égales enfermée dans une couronne de laurier. La bordure inférieure de l'ivoire du Musée d'Erevan (Volbach, nº 142) est occupée par une Entrée à Jérusalem conçue comme un *Adventus* impérial, du type de la chaire de Maximien à Ravenne ou du linteau copte dit d'All Moallaka du Musée du Vieux-Caire ; celui de Ravenne (Volbach, nº 125), par une image des jeunes Hébreux dans la fournaise que protège un ange tenant une croix à longue hampe ; celui de Paris (Volbach, nº 145), par une Résurrection de Lazare et la Rencontre avec la Samaritaine [6] [fig. 46-48].

Les quatre compartiments latéraux montrent la geste du Christ, guérissant des malades ou ressuscitant des morts. Dans toutes ces scènes miraculeuses, le Christ tient une croix à longue hampe.

Si l'on se réfère aux seules images, aux seuls signes iconographiques, on remarque que la croix de ces diptyques (croix en *clipeus,* croix d'orfèvrerie ou croix à longue hampe) est avant tout le symbole du triomphe et de la toute puissance. Ce qui est signifié est donc moins le signe de Matthieu ou le bois du sacrifice, que l'instrument triomphal, trophée, sceptre, et même baguette magique du Christ [7].

(Présentation similaire au fol. 6r de l'*Evangéliaire d'Etschmiatzin* (Erevan, Matenadaran, nº 2.374) qui

3. Autre exemple, hypothétique, sur la façade (?) de l'ancienne église Sainte-Croix de Ravenne, construite par Galla Placidia. Le décor a disparu, mais on a conservé ses tituli :

Christus Patris Verbum cuncti concordia mundi
Qui ut finem nescis sic quoque principium
Te circumsistunt dicentes ter Sanctus et amen
Aligeri testes quos tua dextra regit.
Te coram fluvii currunt per secula fusi
Tigris et Euphrates, Fison et ipse Geon.
Te vincente tuis pedibus calcata peraevum
Germanae mortis crimina saeva tacent.

Quels sont ces *aligeri testes* qui entourent le Christ foulant aux pieds les animaux, en chantant le Trisagion ? Sont-ce les quatre Vivants de l'Apocalypse, comme le suppose F. Gerke, ou des séraphins ? Ce décor s'apparentait-il à celui de Sainte-Pudentienne ou au contraire à celui qui figure sur le célèbre sceau de plomb du Musée du Vatican ? A ce propos, cf. F. GERKE, *La composizione musiva dell'oratorio di S. Lorenzo Formoso e della basilica palatina di S. Croce a Ravena,* dans *XIIIe corso di cultura sull'arte ravennate e bisantina,* Ravenne, 1966, p. 157 et suiv.

4. E. DINKLER, *Das Apsismosaik von S. Appollinare in Classe,* Köln, 1964, p. 54 et suiv. Cf. également du même auteur, *Bemerkungen zum Kreuz als Tropaion,* dans *Mullus, Festschrift Th. Klauser (Jahr. AC, Erg. Bd I),* Münster, 1964, p. 71 et suiv. G. MATTHIAE, *Mosaici,* p. 59-62, avait déjà adopté, mais avec plus de nuances, une position semblable. Cf. également C. OSIECZKOWSKA, *Gli avori a cinque placche e l'arte imperiale romana,* dans *Atti del V Congresso intern. di studi bisantini,* t. II, Rome, 1940, p. 308 et suiv. E. DASSMANN, *op. cit.* n. 1, après avoir admis l'interprétation de E. DINKLER, conclut ainsi : « Christus erscheint nicht wie in späteren, mittelalterlichen Bildern als der gestrenge Weltenrichter, sondern als der gnädige Richter, der im Kreise der fürsprechenden Apostoladvokaten die glaübigen der Gemeinde heimruft als der Dominus conservator ecclesiae Pudentianae » (p. 81). Dans ces conditions, vaut-il encore la peine de maintenir une interprétation de caractère parousiaque ? Que les Vivants ne portent pas le livre des évangélistes est-il un argument suffisant ? Le terme même du Juge devrait-il être conservé en l'absence de Jugement ?

5. Sur ces diptyques chrétiens, dont ni la date ni la provenance ne sont assurées, cf. W.F. VOLBACH, *Elfenbeinarbeiten,* 2e éd., Mainz, 1952.

6. ...L'entrée à Jérusalem des volets de diptyques d'Erevan et de Paris, de même que celle de la chaire de Maximien à Ravenne, est exactement conçue comme celle du linteau copte d'Al'Moallaka du Musée du Caire qui est daté de la fin du IVe siècle ou du début du Ve siècle et dont l'origine égyptienne ne fait aucun doute. Le Christ tient une croix-trophée à longue hampe et il est accueilli aux portes de la cité par la *Tyché* de Jérusalem, tandis que deux jeunes gens étendent au devant de lui une sorte de tapis enroulé sur un bâton. Ce dernier détail, qui apparaît pour la première fois sur le linteau copte, ne se retrouve pas ailleurs que sur les objets cités plus haut. Serait-ce là l'indice d'une origine égyptienne, ou plus précisément alexandrine ?

7. A ce propos, cf. *infra* chap. III, p. 47 et suiv.

sur ce point dépend d'un « modèle » plus ancien, peut-être du VIe siècle. Le Christ trônant et imberbe, croix à longue hampe dans la main gauche et entouré de deux saints debout, est surmonté d'une croix lumineuse, inscrite dans un *clipeus* agrémenté de feuillage et reposant sur une coquille. L'ensemble de la composition est inscrit sous une arcade et divisé en deux registres distincts).

Cette interprétation, qui ne fait pas appel aux textes, est en partie corroborée par une comparaison de ces trois ivoires avec des monuments profanes, contemporains ou antérieurs, les diptyques consulaires ou impériaux. Le cadre, le style, la distribution des scènes étant fort comparables, il serait étonnant que des éléments de signification ne se soient pas transmis en même temps que les formes [8].

Sur les volets du diptyque consulaire de Clementinus (Volbach n° 15, Musée de Liverpool) et sur celui d'Oreste (Volbach n° 31, Victoria and Albert Museum), consuls respectivement en 513 à Constantinople et en 530 à Rome, nous voyons ainsi les deux médaillons de l'empereur et de l'impératrice de part et d'autre d'une croix triomphale. Cette croix, qui est remplacée par le buste du Christ en *clipeus* (avec les médaillons de Justinien et de Théodora) sur le diptyque de Justinus (Volbach n° 33, Kaiser Fr. Museum, Constantinople, 540), est donc l'équivalent exact du buste du Christ, ce dernier jouant là, au registre supérieur de la plaque, le même rôle que les *imagines clipeatae* des souverains règnant : représentation idéale de personnages absents physiquement, mais présents spirituellement, dont le consul en exercice figuré au-dessous tient sa charge et ses prérogatives [9]. Le buste du Christ porté par les anges du célèbre diptyque Barberini joue exactement le même rôle [fig. 49-50].

Dans ces conditions, il ne semble donc pas que la croix laurée des ivoires de Ravenne, d'Erevan ou de Paris ait un caractère parousiaque bien marqué, et que, par conséquent, la double image qui en occupe le centre : Christ trônant + croix d'orfèvrerie, puisse être assimilée aux chap. XXIV et XXV de l'évangile de Matthieu. Par comparaison, et contrairement à l'opinion de Peterson et de Dinkler, je serais donc tenté de voir dans la croix de Sainte-Pudentienne, non pas le signe du Fils de l'homme, mais une croix triomphale de type constantinopolitain, semblable à celle que Théodose II élèvera sur le Golgotha vers 440 ; et dans son Christ trônant entouré d'apôtres, non pas les juges de *Matthieu* XIX et XXV, mais une image céleste du Christ et de l'Église triomphante [10].

La note apocalyptique, les Vivants, n'indique nullement l'appartenance de cette scène au futur, ces quatre figures signifiant d'abord la nature, les actes et la parole du Christ et non pas l'apparition de la fin des temps selon l'*Apocalypse* [11]. (Cf. par exemple la Résurrection du célèbre diptyque d'ivoire de Milan (Castel Sforzesco, anc. coll. Trivulzio, Volbach, n° 111), orné en sa partie supérieure des protômes du lion et du bœuf qui n'ont manifestement rien à voir avec un retour à la fin des temps.)

Cette interprétation est encore fortifiée si des diptyques d'ivoire on passe à l'analyse du soubassement de la colonne d'Arcadius à Constantinople (vers 402-403) [12]. La croix (ou le chrisme) portée par des anges apparaît trois fois : deux fois dans une couronne de lauriers (face sud, second registre, face ouest, premier registre). Sur la face sud, le chrisme lauré porté par des anges est flanqué de deux trophées, ce qui précise sa signification. Sur la face est, à l'intérieur du cadre porté par deux anges-victoires, la croix est elle-même soutenue par les deux Augustes victorieux du registre immédiatement inférieur [13] [fig. 52-54].

8. Sur les diptyques consulaires, voir surtout : R. DELBRUECK, *Die Consulardiptychen und verwandte Denkmäler,* Berlin-Leipzig, 1927-1928, et W.F. VOLBACH, *Elfenbeinarbeiten,* 2e éd.

9. A. GRABAR, *L'imago clipeata chrétienne,* dans *L'art de la fin de l'Antiquité et du Moyen Age,* t. I, Paris, 1968, p. 607 et suiv.

10. A. GRABAR, *L'empereur,* p. 207.

11. Assimiler ainsi *Ap.* IV, ou V, ou VII au seul futur parousiaque, et interpréter en conséquence les références iconographiques à ces textes comme de simples adverbes locatifs, me paraît insoutenable dans la mesure où les commentateurs de l'Apocalypse considèrent ces passages comme des images du présent et du règne de Dieu et de l'Église déjà inauguré. Cf. par exemple saint Augustin en *De civ. Dei,* XX, 19 : *sed tunc* (*Ap.* IV, 6) *non de isto fine saeculi loquebatur.* De même, assimiler les apôtres trônants aux seuls juges de *Matth.* XIX, 28 est en cette occasion peu souhaitable, une référence aux *praepositi* actuels de l'Église céleste, selon *Ap.* XX, 4, étant ici de rigueur. Cf. plus bas, p. 72.

12. Sur la colonne d'Arcadius, voir en particulier R. DELBRUECK, *Die Consulardiptychen,* J. KOLLWITZ, *Oströmische Plastik der theodosianischen Zeit,* Berlin, 1941, p. 17 et suiv., G. BECATTI, *La colonna coclide istoriata,* Rome, 1960, et surtout A. GRABAR, *L'empereur,* p. 74 et suiv.

13. Au contraire de Théodose, ou de l'empereur anonyme de la gravure Ducange dont il sera question plus bas (n. 25), Arcadius et son frère Honorius sont représentés debout au milieu de leurs dignitaires. Leur attitude me paraît cependant moins importante pour notre propos que leur *position,* au second ou au troisième registre, immédiatement *au-dessous de la croix.* On retrouve d'ailleurs une composition toute semblable sur le célèbre plat de reliure carolingien de la *Bible de Lorsch* (Volbach, n° 223) où le Christ, debout, foulant le lion et dragon, est figuré en vainqueur, en lieu et place de l'empereur, sous une croix en *clipeus* portée dans le ciel par deux anges-victoires. Voir également le

La croix ou le chrisme apparaissent donc ici comme les signes victorieux par lesquels les deux empereurs ont triomphé. Ils manifestent la présence, la toute-puissance du Christ, et ne possèdent donc pas de signification proprement parousiaque.

La face sud présente par ailleurs quelques analogies avec le volet du diptyque de Murano. Le registre supérieur est occupé par une croix en *clipeus* portée par deux anges-victoires, thème identique à celui du monument constantinopolitain ; le second, par une image du Christ trônant entouré de deux apôtres et de deux anges (lesquels sont tout à fait comparables aux deux dignitaires imberbes et aux cheveux bouclés flanquant les consuls des diptyques), le troisième, par une image des trois jeunes Hébreux préservés du feu par un ange tenant une croix à longue hampe, image que nous pouvons comparer à celle des villes libérées qu'entraînent les deux victoires tropéophores du monument d'Arcadius. Les différences de détail mises à part, nous avons là deux schémas équivalents, synonymes, que nous retrouvons sous divers aspects dans l'abside de Sainte-Pudentienne (où les deux *Ecclesiae* couronnant les apôtres ou le Christ font penser à *Roma* et *Constantinopolis* des diptyques consulaires et de la face est du monument d'Arcadius), sur de nombreux diptyques impériaux ou consulaires, et sur les bas-reliefs de trois faces du monument d'Arcadius, qui est contemporain, à quelques années près, de Sainte-Pudentienne. Cela semblerait donc indiquer que tous ces monuments ou objets appartiennent, quoique à des degrés divers, à un même répertoire iconographique, de caractère triomphal, conçu pour célèbrer la victoire, l'autorité et par la même occasion la « divinité » de celui qui la procure ou l'obtient.

L'analyse purement iconographique de ces quelques objets ou monuments nous amène donc à critiquer l'interprétation de M. E. Dinkler, laquelle me paraît fondée, pour bonne part, sur deux articles ayant fait date dans l'histoire de l'art chrétien primitif, *La croce e la preghiera verso l'oriente,* d'E. Peterson [14], et Σημεῖον ἐκπετάσεως, d'E. Stommel [15].

Le mérite, mais aussi le défaut de ces deux dernières études, est d'avoir tenté d'expliquer des images occidentales post-constantiniennes à partir de textes et d'usages liturgiques orientaux pré-nicéens, qui tous assimilent la croix au Signe du Fils de l'homme qui apparaîtra à l'Orient à la fin des temps. Ces écrits, en particulier *Didache* XVI, 6, *Apocalypse d'Elias, Apocalypse de Pierre,* etc. sont cependant bien situés historiquement et géographiquement. Ils sont antérieurs au IVe siècle et au triomphe du christianisme, d'origine sémitique et de provenance syrienne. Ils appartiennent donc aux premiers siècles du christianisme, aux temps des persécutions, à une époque qui est tout entière dominée par une eschatologie du futur et par l'attente du prochain retour du Christ [16]. Cette attente fébrile perd toutefois de son importance à la fin du IIIe siècle, elle se spiritualise et change même de forme après la victoire de Constantin [17].

Dans l'esprit d'Eusèbe, l'« ère messianique s'est établie visiblement dans le triomphe terrestre du Christ, reconnu par l'empereur comme Roi et Dieu » (*Hist. Eccl.* X, 4, 16, *PG* 20, col. 856c). L'optimiste d'Eusèbe, qui fait d'ailleurs contraste avec l'attitude de Tertullien au siècle précédent, se verra démentie par la prise de Rome en 410 ; mais en dépit des revers essuyés par l'Empire, il représente la tendance officielle de l'Église et de l'État devenu chrétien [17 bis]. Dans ces

diptyque consulaire retaillé (vers 900) de la cathédrale de Monza (Volbach, n° 43) avec à gauche, le consul assis sous une croix ; et à droite, debout sous une croix (dans sa présentation actuelle, David et saint Grégoire [fig. 50].

14. *Ephemerides liturgicae,* t. LIX, 1945, p. 52 et suiv.

15. *Römische Quartalschrift,* t. XLVIII, 1953, p. 21 et suiv.

16. Cela a été mis en valeur, dans des études citées plus haut (n. 4, 14 et 15) par MM. PETERSON, STOMMEL et DINKLER. On notera toutefois que l'argumentation de Peterson qui fut le premier à souligner aussi nettement le caractère parousiaque des croix absidales, repose en majeure partie sur des textes d'origines syriennes et sur une conception des rapports entre l'Orient et l'Occident qui est aujourd'hui dépassée : « Io sono d'accordo con altri (Strzygowski, Bréhier, Reil) nell'attribuire ai Siri une parte considerevole nella creazione della croce nell'arte. La nostra documentazione era in gran parte basata sui testi di autori siriachi » (p. 66). Je ne pense pas qu'il soit aujourd'hui possible d'accorder une telle importance à l'art syrien. Je suis également réticent devant l'identification automatique de deux termes que je préfère distinguer : eschatologie et parousie (à ce propos, cf. *supra,* p. 12 et suiv.).

17. A ce propos, voir *DSAM,* article *eschatologie* (J. GALOT), t. IV, 1, Paris, 1960, col. 1.046 et suiv. Je reviendrai sur ce problème délicat au chapitre V, p. 75 et suiv. Cf. également, pour Eusèbe, F. PASCHOUD, *Roma aeterna,* Neuchâtel, 1967, p. 182.

17 bis. On observe la même tendance chez Orose, disciple infidèle d'Augustin, qui, comme l'a souligné M.H.I. Marrou, rejoint Eusèbe dans sa conception de l'histoire. « Il y a dans cette exaltation des *tempora Christiana* ce qu'il faut bien appeler une composante messianique, millénariste, non pas projetée dans le futur eschatologique, comme chez Lactance, mais d'un millénarisme déjà d'une certaine manière réalisé dans l'histoire contemporaine » (*Saint Augustin, Orose et l'Augustinisme historique,* dans *La storiografia altomedioevale, Settimane di studio di Spoleto,* Spolète, 1970, p. 80). Sur ce même problème, voir en particulier les pages 80-83 et 86. Sur l'eschatologie des Pères post-nicéens dans ses rapports avec leur théologie politique, cf. F. PASCHOUD, *Roma aeterna,* p. 182 ; 196-198 ; 215-216 ; 224-226 ; 283-284. Certes la position de Jérôme et d'Augustin contraste fort avec celle d'Eusèbe, d'Ambroise, de Prudence, d'Orose, et de Léon le Grand pour qui l'État romain réalise dans l'histoire le royaume eschatologique de Dieu. Tous, à des degrés divers, s'opposent pourtant aux commentateurs pré-nicéens de l'*Apocalypse,* aux millé-

conditions, je ne crois pas que l'on puisse automatiquement rapprocher les staurophanies occidentales des Ve et VIe siècles de textes orientaux des Ier et IIe siècles, que la conversion de l'Empire rendait sinon caduques, du moins dépassés, inappliquables sans interprétations nouvelles [18]. L'analyse strictement iconographique à laquelle je me suis astreint précédemment montre d'ailleurs que la thèse de M. Dinkler doit être atténuée.

On connaît toutefois de nombreux textes, latins ou grecs, appartenant aux IVe, V^e et VIe siècles, où la croix, qui est toujours désignée comme un signe triomphal, est assimilée au Signe du Fils de l'homme [19]. L'importance de ces textes rend donc plausible l'hypothèse défendue par Peterson, Stommel et Dinkler, mais ce qu'il faut souligner, lorsqu'on essaie d'assimiler la croix de Sainte-Pudentienne, ou celle du « mausolée » de Galla Placidia, au signe de la fin des temps, c'est avant tout l'absence de tout élément iconographique permettant de situer clairement cette image à l'instant du Jugement. La séparation proprement dite fait par ailleurs défaut.

A supposer que le décor absidal de Saint-Apollinaire soit parousiaque (et dans ce cas celui de Saint-Vital ou d'Hosios David l'est aussi), ce qui est révélé aux yeux des fidèles est moins le moment dramatique du retour, l'apparition du Christ en ce monde, au milieu des éclairs et de la chute des astres, qu'une vision paradisiaque, intemporelle, située dans un ciel serein, et non pas sur la terre, à l'horizon de l'histoire.

Et dans ce cas, la représentation paléochrétienne de cette vision surnaturelle s'oppose résolument à celle qui voit le jour au-delà des Alpes, à partir de l'époque carolingienne, où ce qui intéresse les iconographes et les auteurs de *tituli* n'est plus la Vision sereine des absides paléochrétiennes, mais l'apparition

naristes et à tous ceux qui, ne voyant dans Rome que la quatrième bête de Daniel ou le « retenant » de la deuxième épître aux Thessaloniciens, s'attendaient à l'imminence de la Parousie.

18. A propos de la signification « politique » de la croix, signe nicéphore de l'Empire, voir J. GAGÉ, Σταυρὸς νικοποιός, dans *Revue d'histoire et de philosophie religieuse*, Strasbourg, 1933, p. 370-400. A la fin du Ve siècle, la croix a pratiquement éliminé les autres signes de victoire : enseignes, *vexilla, labara,* trophées, etc. Cela montre je crois suffisamment l'importance de la signification triomphale qui lui était attachée dans l'art impérial, et par extension dans l'art religieux qui sous bien des aspects lui est parallèle, en dérive ou en dépend.

« La seule chose qui ait changé est la personnalité du Dieu de qui émane la grâce victorieuse. C'est maintenant le Dieu chrétien qui la dispense, comme il confère l'Empire lui-même. Il y avait d'ailleurs des affinités entre le vocabulaire triomphal de l'Empire et celui des chrétiens, habitués à célébrer les victoires et le perpétuel triomphe de Dieu, du Christ et des martyrs ; des communications ont pu se produire aussi dans l'art, où le type du prince glorieux et triomphant n'a pas été sans exercer son influence sur la représentation du Christ en majesté... On sait en effet qu'à cette même époque, l'avènement du prince, non moins que ses succès militaires, doit être considéré comme une révélation victorieuse. A vrai dire, la Victoire ne quitte plus l'empereur, l'empereur est un perpétuel vainqueur » (J. GAGÉ, *La théologie de la victoire impériale,* dans *Revue historique,* n° 171, 1933, p. 25-27). Voir également A. GRABAR, *L'empereur,* p. 239 et suiv. ; et J. KOLLWITZ, *Oströmische Plastik,* p. 47 et suiv., 137 et suiv., 151 et suiv.

19. Ces quelques textes, qui tous se réfèrent ou font écho à Matth. XXIV-XXV, sont particulièrement intéressants, car ils pourraient s'appliquer directement à des images de type impérial où le Christ et sa croix ont remplacé l'empereur et son trophée. La croix, le Signe du Fils de l'homme, est d'abord un signe royal, symbole de la toute-puissance victorieuse du Christ. *PG* 49, col. 404 et *PL* 39, col. 2.051, décrivent en outre le retour du Christ sur le modèle de l'*Adventus* : un empereur victorieux précédé de victoires ou de soldats portant ses *signa.* Quand à *PG* 59, col. 649-650, il nous renvoie directement aux bas-reliefs de la colonne d'Arcadius. La croix apparaît dans le ciel, et les hommes, séparés en deux groupes ou en deux cercles, adorent le Fils de l'homme siégeant en majesté. Les anges et les élus dans l'attitude de la proskynèse occupent le registre supérieur ; les damnés, considérés comme des vaincus précipités à terre sous les pieds du basileus, le registre inférieur. Bien qu'il ne semble pas que saint Jean Chrysostome, ou l'auteur anonyme de *PG* 59, col. 650, ait eu sous les yeux des icônes ou des peintures murales représentant la Seconde Parousie, on notera cependant qu'ils conçoivent leur « vision » du retour du Christ en utilisant le répertoire iconographique des empereurs victorieux. Ce n'est d'ailleurs là ni le premier ni le dernier exemple d'une telle assimilation.

« Καὶ καθάπερ βασιλέως εἰς πόλιν εἰσιόντος, οἱ στρατιῶται προλαμβάνοντες τὰ λεγόμενα σίγνα, βαστάζουσιν ἐπὶ τῶν ὤμων αὐτῶν, προαγγέλλοντες τὴν εἴσοδον αὐτοῦ · οὕτω καὶ τοῦ Κυρίου κατιόντος ἐκ τῶν οὐρανῶν προέρχεται τὰ σρατόπεδα τῶν ἀγγέλων καὶ τῶν ἀρχαγγέλων, τὸ σημεῖον ἐκεῖνο φέροντες ἐπὶ τῶν ὤμων, καὶ τὴν βασιλικὴν αὐτοῦ εἴσοδον ἀπαγγέλλοντες ημῖν » (*PG* 49, col. 404). Cf. également Cyrille de Jérusalem, *De secundo christi adventu* (*PG* 33, col. 870-916) : « Σημεῖον δὲ ἀληθὲς ἴδικὸν τοῦ χριστοῦ ἐστι ὁ σταυρός. Φοτοειδοῦς σταυροῦ σημεῖον προάγει τὸν βασιλέα. Φόβος τοῖς ἐχθροῖς, τοῦ σταυροῦ τὸ σημεῖον » (*PG* 33, col. 900).

« *Quemadmodum enim ingredienten regem in civitatem exercitus antecedit, praeferens humeris signa atque vexilla regalia, ita Domino descendente de cœlis praecedet exercitus angelorum qui illud signum, id est triumphale vexillum, sublimibus humeris praeferentes divinum regis coelestis ingressum terris trementibus nuntiabunt* » (texte faussement attribué à Augustin, *PL* 39, col. 2.051).

« Ὀφθήσεται τοῦ ξύλου φέρων τὴν εἰκόνα, ἀλλὰ φωτὸς ἐκλάμπων ἀκτῖνα... τότε πᾶσα ἡ κτίσις προσκυνήσει τῷ Υἱῷ τοῦ θεοῦ, καὶ τὸ τάγμα τῶν ἀπιστησάντων, καὶ τὸ τάγμα τῶν πιστευσάντων... Ὥσπερ γὰρ ἐν ταῖς βασιλικαῖς εἰκόσι διαγράφεται ἡ δόξα τῶν δορυφορούντων τὸν βασιλέα, καὶ τῶν βαρβάρων τὰ γένη, τῶν ὑποτεταγμένων τῷ βασιλεῖ, καὶ ὑποπίπτει δὲ καὶ ὁ βάρβαρος κάτωθεν, ὑποπίπτει δὲ καὶ ὁ ὁμόφυλος... καὶ ἔστιν ἡ μὲν ἄνω τάξις προσκυνούντων, ἡ δὲ κάτω τάξις πιπτόντων· ἄλλο γάρ ἐστι προσκυνῆσαι, καὶ ἄλλο πεσεῖν· οὕτως ἐν τῇ παρουσίᾳ τοῦ μεγάλου βασιλέως, ἐν εἰκόνι τῆς δόξης φανήσεται τὸ τάγμα τῶν πιστευόντων, ἐν παῤῥησίᾳ μετὰ τῆς ἀγγελικῆς τάξεως ὑμνοῦντες καὶ δοξάζοντες· φανήσεται δὲ καὶ τὸ τάγμα τῶν ἀπιστησάντων ἐστρωμένον ὑπὸ τοὺς πόδας τοῦ μεγάλου βασιλέως... Ὥσπερ γὰρ ἐν ταῖς εἰκόσιν ἀνωτέρα μὲν ἔστιν ἡ ζώνη ἡ τοὺς προσκυνοῦντας ἔχουσα, κατωτέρα δὲ ἡ τοὺς βαρβάρους φέρουσα· οὕτω καὶ ἐπὶ τῆς Χριστοῦ βασιλείας, ὑψηλότερον μὲν δεῖ φαίνεσθαι τὸ τάγμα τῶν πιστευόντων, χαμαιπετὲς δὲ καὶ γήινον τῶν ὑποπιπτόντων » (*PG* 59, col. 650). D'autres textes semblables à ceux-ci seront cités plus loin, au début du chapitre III. Voir également chapitre I, n. 26-29, n. 34.

Cf. également Bède le Vénérable, *in Matth.* IV, *PL* 92, col. 104 : « *Et tunc apparebit signum Filii hominis in coelo. Signum hic aut crucis intelligamus, ut videant Judaei in quem compuxerunt, aut vexillum victoriae triumphantis* » (citation quasi littérale d'Origène et de Jérôme). Cf. également Isidore de Séville, *De fide cath.* I, 35, *PL* 83, col. 485 : « *Et erit principatus super humeros ejus* (Is., IX), *id est, vexillum suae Crucis, quod suis portavit humeris : juxta vaticinium David prophetae, qui dicit : Dominus regnavit a ligno.* »

soudaine et dramatique dont il est question dans l'*Apocalypse* (chap. XX) et l'évangile de Matthieu [20].

Pour toutes ces raisons, et sans nier le bien-fondé des interprétations extrêmes que défend aujourd'hui M. E. Dinkler, je me rangerai volontiers à l'opinion de Mme C. Ihm, qui dans les programmes d'absides avec croix estime que la note deutéro-parousiaque est passée au second plan, ou mieux, se confond avec l'idée de la victoire et du pouvoir cosmiques du Christ [21]. Cette interprétation mesurée se conçoit par ailleurs fort bien dans ce nouveau contexte, tant politique que religieux, que représentent l'Empire et les empereurs romains devenus chrétiens. Ainsi que l'ont montré MM. J. Gagé et A. Grabar, la croix, comme signe de victoire, tend de plus en plus à se substituer au trophée, ainsi qu'aux autres signes nicéphores, tout en gardant sensiblement le même sens « politique » [22]. Il serait donc étonnant qu'il y eût, du IVe siècle au VIe siècle, deux conceptions distinctes et même opposées (l'attente fébrile de la Seconde Parousie étant en effet un acte d'hostilité à l'égard de l'Empire), celle de l'État et de l'Église officielle d'une part, celle des iconographes d'autre part. La révolution du début du IVe siècle qui, presque sans transition, fit de mauvais citoyens et d'ennemis de l'État ses fonctionnaires et ses soutiens les plus fidèles et les plus comblés, suffit, je crois, à expliquer que ce qui fut un temps, et dans un contexte particulier, le Signe du Retour tant attendu, soit alors devenu le sceau et le trophée d'une victoire et d'un règne en train de se réaliser.

Du monument d'Arcadius analysé plus haut, nous retiendrons également les registres superposés et les principes hiérarchiques qui assignent à tout personnage participant à une parade triomphale la place qui lui revient selon sa dignité et ses titres. Son schéma triomphal, ses registres et sa distribution hiérarchique se retrouvent en effet dans de nombreuses images médiévales du Jugement ou de la Seconde Parousie. Nous avons déjà cité, au chapitre précédent, les *tituli* des *Carmina Sangallensia,* texte évidemment concis, peu descriptif, mais qui du moins se réfère à une image bâtie sur deux registres principaux : celui de la croix, celui du Christ trônant. (Par comparaison avec le Jugement dernier de Münster, on pourrait supposer l'existence d'un troisième registre, avec les bons et les mauvais. A Münster même, l'existence d'une croix au registre supérieur, au-dessus du Christ, ne devrait pas être exclue, car elle aurait pu trouver place à l'endroit où se trouve maintenant une grande baie gothique percée dans la façade à la fin du XVe siècle) [fig. 114].

Ces quelques vers permettraient donc de restituer une image carolingienne du Jugement bâtie sur un schéma identique à celui des images triomphales du premier et du second niveau. Nous en avons d'ailleurs confirmation dans une série d'images plus récentes, appartenant à l'époque romane et à l'époque gothique. La présente étude ne visant pas à l'exhaustivité, je ne retiendrai pour ma démonstration que quelques exemples particulièrement connus et représentatifs : le fol. 368v de la *Bible de Farfa* (Ripoll, vers 1050, Vat. Lat. 5729), les portails romans de Beaulieu et de Conques, les Jugements derniers du croisillon sud de Notre-Dame de Chartres et du panneau attribué à l'atelier de J. van Eyck, autrefois au Musée de Leningrad [fig. 57-60].

Ces quelques exemples, que l'on pourrait multiplier, constituent un groupe bien défini s'étalant sur plusieurs siècles, sans que la variété et la diversité des détails secondaires ne détruisent la cohérence de leur schéma fondamental : une croix, souvent portée par deux anges, au-dessus du Christ.

Mais avant d'analyser les images de ce troisième niveau, je voudrais verser au dossier de cette étude un monument très important et même capital du IXe siècle : le fameux reliquaire en forme d'arc de triomphe, offert par Eginhard, le biographe de Charlemagne, à l'abbaye de Saint-Servais de Maastricht. Cet objet est aujourd'hui perdu, mais les études

20. A ce propos, voir Y. CHRISTE, *Les grands portails romans,* Genève, 1969, p. 136 et suiv. et 162 et suiv. Cette évolution touche aussi bien l'iconographie que le style. Pour s'en rendre compte, il suffira de comparer une théophanie paléochrétienne comme celle de la façade du Vieux-Saint-Pierre (Eton College, ms 124) à une image médiévale du même type, par exemple, l'Adoration de l'Agneau du *Codex aureus de Saint-Emmeran de Ratisbonne* (Munich, Clm 14.000, fol. 6r). Les Vieillards paléochrétiens, semblables sur ce point aux deux *togati* offrant des couronnes à l'empereur de la face Est, troisième registre, de la colonne d'Arcadius, font partie d'une sorte de cortège s'avançant à pas lents ou qui vient de s'arrêter, où l'on ne trouve rien de l'effroi ou de la stupeur dont il est question dans l'*Apocalypse.* Il est évident que cette image se réfère directement au texte de Jean, mais dans sa traduction iconographique et surtout stylistique, elle est restée très proche du cérémonial impérial contemporain, d'où, très probablement, l'absence de Vieillards assis dans l'iconographie monumentale contemporaine, l'étiquette du Palais, les usages impériaux contredisant sur ce point le texte de l'*Apocalypse.* Ces dernières remarques tendraient donc à renforcer nos observations de la n. 11, où nous avons marqué notre réticence à considérer les éléments tirés de ce dernier texte comme des sortes d'adverbes locatifs, situant la scène qu'ils accompagnent dans le domaine historique de la Seconde Parousie. Il s'agit là, très probablement, d'une des significations possibles, mais ce n'est pas la seule qui automatiquement doit être retenue.

21. C. IHM, *Apsismalerei,* p. 79.

22. Cf. *supra,* n. 18.

détaillées de M. B. de Montesquiou-Fezensac (à partir d'un dessin de la B.N. de Paris) et de V. Brassine (à partir d'une description elle aussi précieuse du XVIIe siècle) permettent de le reconstituer avec exactitude [23] [fig. 56].

Ce reliquaire d'argent orné de figures au repoussé, d'env. 38 cm de hauteur (sans la croix), était destiné à soutenir une croix d'orfèvrerie désignée comme le trophée du Christ : AD TROPAEUM ETERNAE VICTORIAE SUSTINENDUM EINHARDUS PECCATOR HUNC ARCUM PONERE AC DEO DEDICARE CURAVIT. Inscrit dans un cartouche à queues d'aronde flanqué de deux anges sceptrigères (dont l'un, celui de gauche, tenait un disque avec l'image de la Crucifixion), cette dédicace occupe la grande face postérieure de l'attique. Les trois autres faces sont elles-mêmes décorées d'une image du Christ trônant (laquelle est placée directement sous le socle de la croix) entouré des douze apôtres, eux-mêmes trônant par groupe de trois sur des banquettes. Les quatre évangélistes avec l'*imago clipeata* de leur symbole occupent les quatre écoinçons, les derniers registres étant réservés à des figures d'empereurs et de rois (ou de saints militaires en Augustes et Césars), debout ou à cheval, tenant une lance ou un *vexillum*. L'Annonciation et la Reconnaissance du Christ par le Baptiste, comme prodromes de la théophanie triomphale de l'attique et du couronnement de l'arc, sont en outre figurées sur les petits côtés du second registre [24].

Nous aurions donc là, à quelques détails près, une image tout à fait semblable à celles qui décorent le soubassement de la colonne d'Arcadius et d'une autre colonne constantinopolitaine (?), aujourd'hui disparue et connue par une mauvaise gravure publiée par Ch. du Cange [25]. Au registre supérieur de ces trois monuments, nous trouvons en effet la croix triomphale ; au second, le Christ trônant entouré d'apôtres, un empereur trônant entouré de personnifications de villes soumises ou deux Augustes debout (Arcadius et Honorius) flanqués de hauts fonctionnaires civils ou militaires [fig. 55].

La partie supérieure de l'arc carolingien nous renvoie par ailleurs à celle de l'abside de Sainte-Pudentienne (croix triomphale plantée sur un socle, ou la montagne de Sion + Christ trônant au milieu des apôtres) et aux volets de diptyques chrétiens à cinq compartiments cités plus haut, où nous retrou-

23. Sur cet objet, voir J. BRASSINE, *Monuments d'art mosan disparus*, dans *Bull. de la société d'art et d'histoire du diocèse de Liège*, t. XXIX, 1938, p. 155 et suiv. ; B. DE MONTESQUIOU-FEZENSAC, *L'arc de triomphe d'Einhardus*, dans *Cahiers Archéologiques*, t. IV, 1949, p. 79-103, et *L'arc d'Eginhard*, *ibid.*, t. VIII, 1956, p. 147 et suiv.

24. Le choix de ces deux épisodes, comme compléments d'une composition de caractère eschatologique (mais non parousiaque) et triomphale, montre bien la qualité et la précision du programme iconographique conçu par Eginhard. Ils marquent en effet le début de l'« épiphanie impériale » du Verbe de Dieu, l'Annonciation faisant écho à sa conception divine ; la Reconnaissance par le Baptiste, au commencement de sa mission divine parmi les hommes.

25. Sur cette gravure publiée par Ch. DUFRESNE DU CANGE, *Constantinopolis christiana, seu descriptio urbis constantinopolitanae*, t. I, Paris, 1680, p. 79, voir notamment J. STRZYGOWSKI, *Die Säule des Arcadius*, dans *Jahrbuch des kaiserlich deutschen archäologischen Instituts*, t. VIII, 4, Berlin, 1893, p. 243 et suiv., fig. 8 ; A. GEFFROY, *La colonne d'Arcadius à Constantinople*, dans *Monuments Piot*, t. II, Paris, 1895, p. 123 et suiv. ; G. BECATTI, *La colonna coclide istoriata*, Rome, 1960, p. 159 ; et surtout A. GRABAR, *L'empereur*, p. 269-270, pl. XL, 2.

La valeur de ce document est très discutée. Du Cange, pour sa part, l'a publié comme un souvenir de la colonne de Théodose, élevée sur le Tauros à la fin du IVe siècle. Un chanoine de Sainte-Geneviève de Paris, Claude Molinet, lui aurait fourni le dessin qui servit de base pour cette gravure sommaire (p. 79). Becatti, qui la rapproche de la colonne d'Arcadius élevée sur le Xelorophos, à partir de 402-403, ne lui accorde naturellement aucune valeur (p. 159). La position de Grabar est plus nuancée : cette gravure ne peut en aucun cas être rapprochée de la colonne du Tauros que nous connaissons bien grâce aux dessins précis et aux gravures de Sandys, Lorich, et des anciennes collections Gaignières (Paris, B.N., Cabinet des Estampes, n° 6.514) et Freshfield (aujourd'hui à Trinity College, Cambridge). Elle pourrait en revanche nous donner une idée de l'une des faces de la colonne de Théodose ou d'une colonne constantinopolitaine, non identifiée et passée sous silence par les anciens chroniqueurs.

On n'accordera malheureusement aucune valeur à ce que dit un voyageur français, le botaniste J. PITTON DE TOURNEFORT, *Relations d'un voyage au Levant*, t. I, Paris, 1717, p. 514. L'envoyé de Louis XIV, à son retour à Paris, s'est en effet contenté de recopier du Cange, en associant son pastiche de remarques vaines et en confondant en outre la colonne de Théodose avec celle d'Arcadius.

La colonne de Théodose a été abattue vers 1500, par le sultan Bayazid II qui fit construire des bains à l'emplacement ainsi dégagé. Le témoignage de P. GILLES, *De topographia Constantinopoleos*, éd. de Lyon, 1561, p. 159-160, est formel et a été confirmé par des découvertes archéologiques modernes faites sur l'emplacement des bains. Il faudrait donc admettre que le dessin de C. Molinet, s'il se réfère vraiment à la colonne de Théodose, était antérieur, ou du moins était une copie d'un dessin antérieur à la destruction du monument. Cela n'est pas impossible, puisque nous avons conservé une excellente copie de dessins reproduisant le fût de cette colonne, au Musée du Louvre (voir Becatti, p. 111 et suiv.). Il se pourrait donc que la très mauvaise gravure publiée par du Cange soit effectivement une image de cette colonne, auquel cas nous pourrions l'introduire dans la série des monuments de cette série. On remarquera ainsi que son schéma général : empereur trônant sous une croix-trophée, avec autour de lui des personnifications de villes, se retrouve sur deux diptyques consulaires, celui d'Oreste et de Clementinus dont il a été question plus haut. Malgré des anomalies flagrantes (spires inversées, quadrilobe entourant la croix, forme du siège et de la couronne, anges-victoires sortant de nuages), je persiste à croire à la valeur de ce document qui en aucun cas ne saurait être expliqué comme une version bâclée de la colonne d'Arcadius. L'attitude du souverain, les cadavres des ennemis du registre inférieur démontrent que nous avons affaire à un monument différent, mais certainement paléochrétien, car je vois mal un érudit du XVIIe siècle inventant de toutes pièces une iconographie nouvelle et de surcroît conforme aux règles de l'art impérial.

vons sensiblement le même schéma. Le décor du reliquaire d'Eginhard, sorte de pastiche de l'antique, *more romanorum constructa,* est d'autre part essentiellement triomphal (décor et cadre architectural) et n'a visiblement aucun rapport avec le retour apocalyptique du Christ selon Matthieu. Et comme nous y retrouvons le même schéma, les mêmes éléments iconographiques (en particuliers les évangélistes) qu'à Sainte-Pudentienne, on pourrait admettre, par comparaison, que le programme romain n'a également rien à voir avec *Matth.* XIX, XXIV et XXV.

Ce même schéma, nous le retrouvons toutefois, comme en filigrane, dans le Jugement dernier des *Carmina Sangallensia* VII (vers 830) et, de façon certaine, dans les Jugements ou Secondes Parousies évoqués plus haut. Cela semblerait donc indiquer qu'une même formule pouvait servir à diverses fins (mais cela dans un même champ sémantique) : victoire impériale, pouvoir cosmique du Christ ou d'un empereur, ou Seconde Parousie débouchant ou non sur un Jugement universel, l'absence d'éléments apocalyptiques (au sens moderne de ce terme) sur l'arc d'Eginhard pouvant être expliquée par le fait que cette œuvre de prestige s'inspire plus directement, et plus consciemment, des usages antiques représentés entre autres exemples par la base de la colonne d'Arcadius et l'abside de Sainte-Pudentienne. (De la part d'un poète et d'un historien qui pour sa *Vita Caroli* s'était directement inspiré de Suétone, de telles références à l'« Antiquité » ne devraient pas étonner.)

Tout cela montrerait donc, une fois de plus, l'importance de l'époque carolingienne pour la transmission et la transformation de l'iconographie issue de l'art romain du Bas-Empire. Les documents conservés sont malheureusement très rares ou fragmentaires, mais une étude comparative, de caractère typologique, portant sur des monuments paléochrétiens et médiévaux présentant sensiblement le même schéma, laisse entrevoir, par contraste, l'apport essentiel de l'art carolingien. Entre les monuments triomphaux antérieurs au VIIIe siècle (colonnes de Constantinople, abside de Sainte-Pudentienne, diptyques chrétiens et consulaires, etc.) et les Secondes Parousies-Jugements derniers médiévaux (Bible de Farfa, portails de Conques, de Beaulieu, de Chartres ou de Burgos, etc.), le grand tournant, *la localisation du triomphe eschatologique à la fin des temps,* doit être situé au Nord des Alpes, entre la fin du VIIIe siècle et le milieu du siècle suivant. Sans le précédent carolingien qui est probablement responsable d'une sorte de fixation de cette formule, on ne pourrait guère comprendre que des œuvres de date, de provenance et de style aussi variés présentent régulièrement le même schéma pour leur noyau théophanique, alors que leurs compléments circonstanciels, leurs éléments périphériques ou narratifs varient d'une œuvre à l'autre.

Le Jugement dernier de la *Bible dite de Farfa* (Vat. reg. lat. 5.729, fol. 368v) est distribué en cinq registres réguliers. Le premier est réservé à quatre paires d'anges ; le second, à une apparition du Signe du Fils de l'homme : une croix en *clipeus* présentée par deux anges-victoires ; le troisième, au Christ siégeant en majesté dans une mandorle-*clipeus* flanquée par quatre anges. A quelques détails près, l'iconographie de ces deux derniers registres est donc semblable à celle des monuments du premier et du second niveaux étudiés précédemment. Les apôtres assis sur deux bancs, cinq à gauche, sept à droite, sont rejetés au-dessous, au quatrième registre (cf. les dignitaires du troisième registre de la gravure du Cange). Quant aux damnés, nus et tournés vers l'extérieur, et aux élus, vêtus, la tête tournée vers le Christ, ils sont divisés en deux groupes, au dernier registre de la composition [fig. 57].

Dans sa totalité, cette image correspond donc bien à une traduction synthétique de *Matth.* XIX, XXIV et XXV, le noyau théophanique et triomphal des deuxième et troisième registres n'étant toutefois qu'une simple reprise de l'iconographie paléochrétienne. Détail remarquable, la croix seule figure les *signa,* à l'exclusion des autres signes ou « instruments » : roseau, lance, clous, etc. [26].

Des remarques voisines peuvent être appliquées au tympan de Beaulieu, œuvre romane du début de la seconde moitié du XIIe siècle. Bien que la division en registres soit moins apparente, on discerne tout de même, comme assises de la composition, trois larges bandes horizontales au milieu desquelles se détache le Christ en majesté, flanc droit découvert, bras étendus et trônant sur une cathèdre de bois que flanquent deux anges sonnant de la trompette. (Au passage, on peut remarquer que ce groupe central

26. Sur la *Bible de Farfa* (Ripoll, vers 1050) voir W. NEUSS, *Die katalanische Bibelillustration um die Wende des ersten Jahrtausends und die altspanische Buchmalerei,* Bonn-Leipzig, 1922, p. 121.
Sur ce dessin à peine rehaussé de rouge, voir W. NEUSS, *Die katalanische Bibelillustration um die Wende des ersten Jahrtausends und die altspanische Buchmalerei,* Bonn-Leipzig, 1922, p. 121.

est un aménagement médiéval d'une formule paléochrétienne bien connue : celle du Christ trônant flanqué de deux anges sceptrigères. Ces derniers ont donc simplement troqué leur sceptre pour une trompette, le Christ trônant étant alors assimilé au Crucifié triomphant et montrant ses plaies de la Seconde Parousie.)

Le premier registre est principalement réservé à l'ostentation des *signa* du Fils de l'homme : deux anges à demi nus présentent une croix-trophée aux extrémités évasées et ornée d'un diadème en son centre, alors que deux autres anges brandissent respectivement les clous et une couronne polygonale richement orfèvrée. (Deux apôtres assis sont en outre figurés à gauche de la croix.) Huit autres apôtres et un prophète, sans doute Isaïe, assis de part et d'autre du Christ occupent le second registre, le troisième étant réservé à la Résurrection des morts et à sept petits personnages, trois à gauche, debout et coiffés du bonnet phrygien, quatre à droite, assis et portant une sorte de bonnet à cornes. (Il se pourrait que nous ayons là les trois rois mages et quatre prophètes, associés au retour triomphal du Christ pour l'avoir reconnu comme roi au début de sa vie terrestre ou pour l'avoir annoncé dans leurs prophéties.) Deux registres d'animaux fantastiques formant double linteaux complètent la vision du tympan [fig. 58].

Tout en étant soumis à de vigoureuses déformations stylistiques, le schéma primitif est cependant respecté : l'ostentation de la croix, légèrement désaxée par rapport au trône, domine le Christ en majesté de la Seconde Venue. Le tympan est pourtant consacré à une vision triomphale du Fils de l'homme directement mise en rapport avec *Matth.* XIX, XXIV et XXV. Elle est introduite, sur le jambage de gauche, par une image de Daniel qui avait lui-même prédit le triomphe du Fils de l'homme (*Dan.* VII, 13), et complétée, sur le jambage de droite, par l'évocation d'un triomphe terrestre : les trois tentations au désert suivies d'un Christ victorieux, debout, croix à longue hampe dans la main droite et foulant au pied le lion et le dragon [27].

Le caractère triomphal de la composition est d'abord souligné par le schéma impérial de son noyau théophanique. En outre, la croix-signe de Seconde Parousie est elle-même gemmée, de même que la couronne polygonale que tend un ange-victoire volant à l'horizontale (cf. par exemple l'arc de Constantin à Rome, scène du siège ; ou le *missorium* de Théodose, écoinçons du *fastigium*). D'autres signes triomphaux doivent également être soulignés. Le Christ trônant du tympan, le Christ debout du contrefort droit, de même que Daniel tuant le dragon de Babylone du contrefort gauche sont tous représentés en vainqueurs des bêtes, images ou signes des forces hostiles ou des démons, Daniel foulant le dragon étant lui-même une préfigure du Christ qui lui fait face.

Nous nous trouvons donc en présence d'un vaste commentaire sur le Retour triomphal du Christ à la fin des temps, *Matth.* XIX, 28, XXIV, 30 et XXV, 31 étant associés à *Dan.* VII, 13 et au *Ps.* XC (XCI), qui est lui-même introduit par le récit de la Tentation, où il est cité dans la bouche du diable (*Matth.* IV, 1-11, *Luc* IV, 1-13). Mais cette trame scripturaire, où par ailleurs il est régulièrement question du Christ empereur, roi ou chef d'armée, est illustrée, ou plutôt mise en images, par des motifs empruntés à la symbolique impériale romaine : Christ debout foulant le lion et le dragon, Christ trônant au-dessous de la croix — empereur victorieux au-dessous de la croix, Daniel foulant aux pieds un basilic qu'il transperce de sa lance — empereur transperçant un ennemi, un lion ou un dragon, etc.

L'ensemble du tympan est pourtant centré sur la théophanie de la fin des temps, le Christ vainqueur étant en même temps le Christ-Juge, le crucifié triomphant devant lequel vont comparaître les morts ressuscités. Si la croix et la couronne font davantage penser à des trophées, à des signes du répertoire impérial, les plaies et les clous appartiennent en revanche au répertoire judiciaire. Les plaies des mains et du côté, après avoir été montrées à saint Thomas, le sont à tous les hommes, comme preuve de l'identité du Fils de l'homme victorieux et de Jésus crucifié et ressuscité. Quant aux clous, ils jouent le rôle de pièces à conviction sur lesquelles seront condamnés les impies, et tous ceux qui en dépit des témoignages pourtant concordants de Daniel, d'Isaïe, des prophètes, des apôtres et des évangélistes n'ont pas su reconnaître la royauté du Fils de l'homme [28]. (Cette double signification des *signa,* ou « instruments » de la Passion, est bien mise en valeur sur un chapiteau du rond-point de l'église Saint-Nectaire. Sur la face

27. Sur ce portail, voir Y. CHRISTE, *Le portail de Beaulieu, étude iconographique et stylistique,* dans *Bulletin Archéologique,* n.s., t. VI, Paris, 1971, p. 57 et suiv.

28. Voir plus bas, p. 82 et suiv.

ouest, deux anges, comme à Beaulieu, présentent une croix d'orfèvrerie en la tenant par ses extrémités. Quant au Christ, assis à l'angle nord-ouest de ce même chapiteau, il tend les clous de la main gauche, et de la droite, la lance et le roseau) [29] [fig. 71].

Ce même schéma (croix au-dessus du Christ) se retrouve au tympan de Conques, œuvre romane relativement tardive, qu'avec M. J. Hubert je ne crois pas antérieure à 1160-1170. Soutenu par deux anges volant au milieu des nuées, le Signe du Fils de l'homme est très exactement placé dans l'axe du tympan, au-dessus du Christ trônant dans une mandorle étoilée. Le noyau théophanique occupe ainsi la partie centrale des deux premiers registres, le reste du tympan étant consacré aux divers épisodes, moraux ou narratifs, de la séparation des bons et des mauvais [30] [fig. 59].

Présentation similaire à Notre-Dame de Chartres, sur le tympan central du croisillon sud. Au registre supérieur, en sa partie médiane, deux anges volant présentent la croix. Deux autres anges, mains voilées, brandissent la lance et les clous à leurs côtés. Le Christ trônant sur une banquette, avant-bras levés et montrant ses plaies, est figuré au-dessous, flanqué de saint Jean et de la Vierge (eux-mêmes trônant, mais de profil) et de deux anges agenouillés tenant la lance et le roseau. Le troisième registre est régulièrement réservé à la séparation des bons et des mauvais [31].

Même disposition, à quelques détails près, pour un Jugement dernier attribué à un disciple de Van Eyck (New York, Metropol. Museum, autrefois au Musée de l'Hermitage à Leningrad). Au sommet du panneau, deux anges volant soutiennent la croix par ses deux branches horizontales. Le Christ trônant et montrant ses plaies est figuré au-dessous, flanqué de la Vierge, de saint Jean-Baptiste et de deux anges tenant la lance et la couronne d'épines, le roseau et les clous. Les registres inférieurs sont occupés successivement par le chœur des élus entourant les douze apôtres trônant dans des stalles, par la Résurrection des morts et une image de l'enfer occupant à elle seule la moitié du tableau. Le Christ ne s'adresse qu'aux justes (le *venite benedicti* est répété deux fois), saint Michel étant chargé de la réplique, *ite maledicti.* Détail à remarquer, la division médiévale traditionnelle, la droite pour les élus, la gauche pour les damnés, a été abandonnée au profil de la stricte hiérarchie des registres superposés [32].

Ce dernier type, relativement fréquent à l'époque romane (*Bible de Farfa,* Beaulieu, Conques) semble plus rare à l'époque gothique. Il est pourtant bien attesté (portail sud de Chartres, portail nord de la cathédrale de Burgos, panneau de Van Eyck, peinture murale de Sainte-Mexme de Chinon, vitrail très restauré de la cathédrale de Coutances, etc.) et représente ainsi, du XIIIe au XVe siècle, le prolongement dans l'art gothique d'un schéma triomphal issu de l'art romain du Bas-Empire.

Une fois encore, l'art carolingien paraît avoir joué un rôle déterminant dans la transmission et la transformation en Seconde Parousie de ce type triomphal. L'arc d'Eginhard (cf. l'abside de Sainte-Pudentienne), le plat de reliure de la *Bible de Lorsch* du Vatican (cf. les volets de diptyques à cinq compartiments), nous fournissent en effet deux exemples d'un triomphe du Christ de ce type d'où sont exclues des allusions directes à la Seconde Parousie. Le Jugement dernier « décrit » par les *Carmina Sangallensia,* et celui de Münster, nous proposent en revanche, à la même époque, une vision triomphale bâtie sur le même schéma, mais rejetée à la fin des temps et débouchant sur un Jugement, comme celles de la *Bible de Farfa* ou du portail de Conques qui prolongent cette iconographie.

Au terme de cette analyse, nous pourrions donc reprendre sans grand changement les conclusions du premier chapitre.

1) Le noyau théophanique des Jugements derniers ou Secondes Parousies de la *Bible de Farfa,* de Conques ou de Beaulieu n'a pas été créé de toute pièce pour servir d'illustration au discours eschatologique du Christ des chap. XXIV et XXV de Matthieu.

2) Tout en étant conforme à ce texte, l'image médiévale recouvre tout simplement un schéma d'origine impériale ayant servi primitivement à célébrer le pouvoir universel des empereurs à l'occasion d'une victoire militaire.

3) Intégré à l'art chrétien, il manifeste le triomphe du Christ, triomphe intemporel, céleste, et en ce sens, eschatologique, sans toutefois qu'aucun signe

29. On trouve également des allusions au Jugement sur d'autres chapiteaux du chœur ou du déambulatoire dans les églises Saint-Pierre de Chauvigny (Vienne) et de Saint-Révérien (Nièvre).
30. Sur le tympan de Conques, voir Y. CHRISTE, *Les grands portails romans,* p. 124 et suiv., pl. XVIII, 1.
31. *Ibid.,* pl. XX.
32. M.J. FRIEDLAENDER, *Van Eick - Petrus Christus (Early nederlandish painting,* t. I), rééd. Bruxelles, 1967, p. 57, pl. 36.

iconographique déterminant permette de le situer à la fin des temps, au moment du Jugement.

4) Son incorporation à l'iconographie médiévale du Jugement dernier doit être située à l'époque carolingienne, le schéma primitif et sa signification triomphale n'étant pas modifiés par cette localisation historique nouvelle.

Ce serait donc à la suite d'une mutation d'ordre sémantique, ayant surtout affecté le noyau théophanique proprement dit, que s'est constitué le Jugement dernier. Dans la mesure où une vision triomphale était située à la fin des temps et rapprochée de celle de Matthieu, il était naturel que des éléments accessoires, comme l'ostentation des plaies, la Résurrection des morts, la séparation des bons et des mauvais, etc. vinssent se greffer autour d'elle, pour constituer progressivement cet ensemble complexe et bien organisé qu'est le Jugement dernier gothique. La *nouveauté* en ce domaine est donc à rechercher dans une évolution de l'expression théophanique, et non pas dans l'apparition de motifs secondaires ou narratifs. De même que l'apparition de la Descente de croix n'est que la conséquence d'une nouvelle iconographie de la Crucifixion, celle du Christ mort sur la croix, le thème du Christ montrant ses plaies (dès le IXe siècle, Paris B.N. grec 923, fol. 68v), celui de l'ostentation des *signa,* des morts ressuscités, des démons tourmentant les damnés, etc., découlent naturellement de la localisation précise à la fin des temps d'une théophanie triomphale réservée en principe à tous les hommes, bons ou mauvais, et non plus à quelques témoins privilégiés, tous bienheureux. Et pour que le Christ soit immédiatement reconnu comme le Fils de l'homme siègeant à la droite du Père, il fallait des signes évidents : telle est la marque des clous et de la lance, tels sont également les *signa,* en particulier la croix qui peu à peu perdra son sens antique de trophée pour devenir, à partir du XIIIe siècle, le seul instrument du supplice.

La Seconde Parousie, et le Jugement dernier qui la suit, devrait donc être considéré comme une transposition chrétienne du triomphe impérial, l'empereur victorieux ne se montrant pas seulement à ses « amis », dans l'enceinte étroite du Palais, mais au peuple tout entier, à ses amis et aux vaincus, en compagnie de dignitaires et d'officiers portant ses *signa.*

Le même processus semble d'ailleurs s'être produit, à peu près à la même époque et à partir d'éléments iconographiques similaires, en Asie mineure. Nous en avons donné un premier exemple, géorgien, au chapitre précédent ; et en voici un autre, cappadocien, celui de la chapelle nord du pigeonnier de Gülli Dere, monument découvert et publié par M. et Mme M. Thierry [33]. Comme à Münster-Müstair, le retour du Fils de l'homme est figuré en deux temps. Sur la voûte, le Christ de profil, entouré d'une auréole lumineuse et marchant dans le ciel, vient prendre place sur le trône du Jugement. En se fondant sur le texte grec qui accompagne cette image, on pourrait croire que l'artiste a lié la figure du Christ marchant dans les nuées à celle de la croix qui occupe le sommet de la voûte, au-dessus du tympan oriental de la chapelle, là où se trouve le Christ en majesté, trônant sur un haut siège gemmé, entre la Vierge et Jean-Baptiste. Mais il s'agit en fait d'une confusion dans l'esprit de l'artiste, qui a illustré le texte de Matthieu, où précisément, au chap. XXIV, 30, la croix précède le Christ marchant dans le ciel, à partir du schéma impérial analysé plus haut. L'image du tympan ne laisse subsister aucun doute à ce propos : les deux anges qui présentent la croix dominent le Christ trônant selon la formule traditionnelle des diptyques ou de la base du monument d'Arcadius. Trois anges, de part et d'autre du Christ et de la Déisis, et le Cénacle apostolique complètent cette vision de la fin des temps qui débouchait peut-être sur un Jugement dernier dont il ne reste plus qu'une Résurrection des morts (tympan ouest). Cette image fait face à celle de la Pentecôte [fig. 61].

Sur le tympan oriental et dans la portion de la voûte qui s'y rattache, nous retrouvons donc, à peu de choses près, le thème de Conques ou de la *Bible de Farfa.* L'absence de lien direct entre le schéma paléochrétien et la Vision de Matthieu qui en découle est fort bien mis en évidence, à Gulli Dere, par l'inscription grecque qui commente la scène et se trouve placée à côté du Christ marchant dans le ciel : Ο $\overline{\text{XC}}$ ΚΑΤΕΧΟΜΕΝΟΣ ΔΙΑ ΝΕΦΕΛΟΝ ΤΟΥ ΔΙΑΚΡΙΝΕ ΠΑCΑΝ ΦΥCΙΝ ΚΕ ΓΛΟCΑ ΚΕ Ο CΤΑΒΡΟC ΦΑΝΙCΕΤΕ ΕΜΠΡΟCΘΕΝ ΑΥΤΟΥ. *Le Seigneur descendant à travers les nuages pour juger toute tribu et toute langue. Et la croix paraîtra devant lui.* L'inscription tendrait donc à lier l'apparition du Fils de l'homme à la figure du Christ traversant les

33. *Ayvali Kilise ou le Pigeonnier de Gülli Dere,* dans *Cahiers Archéologiques,* t. XV, Paris, 1965, p. 131 et suiv.

nuées. Or, il existe une distorsion évidente entre ce texte (qui est conforme à l'évangile de Matthieu) et l'image proprement dite qui est censée l'illustrer, car la croix portée par les anges est liée non pas à l'arrivée du Juge, mais à l'image du Christ trônant au milieu des apôtres. L'attitude des deux anges figurés à mi-corps derrière l'auréole lumineuse enfermant la croix ne laisse aucun doute à ce sujet : leur position exclut tout lien direct avec une autre image que celle du Christ trônant.

Ce petit détail me paraît fort significatif, car il apporte sinon la preuve, du moins un argument de poids en faveur de la thèse que je défends ici : à savoir que c'est à partir d'un schéma triomphal, du genre de celui des diptyques à cinq compartiments, que s'est constitué, tant en Cappadoce qu'en Occident, l'un des types de la vision du Christ-Juge à la fin des temps. La théophanie apocalyptique de Gülli Dere, datée de la première moitié du xe siècle, pourrait donc être comparée aux images de la fin des temps dont nous avons suivi la gestation dans l'art carolingien et roman.

Toutes semblent se référer directement à *Matth.* XXIV-XXV, mais nous constatons chaque fois la même distorsion entre ce texte et les images qui sont censées le traduire. La croix est en effet associée au Christ siègeant en majesté du chap. XXV, 31, et non pas au Fils de l'homme traversant les nuées et précédé de son signe, du chap. XXIV, 30. Cette présentation, qui est conforme au schéma impérial de la colonne d'Arcadius et des diptyques chrétiens à cinq compartiments, s'écarte donc du texte, et il faut croire qu'elle appartenait à une tradition solidement établie puisqu'elle fut conservée à Gülli Dere, en dépit du texte grec explicatif et de l'image du Christ marchant dans le ciel du chap. XXIV de Matthieu. Une brève comparaison entre Matth. XXIV-XXV et ses traductions iconographiques semblerait donc corroborer ce que nous concluions à la suite d'une analyse diachronique des images du second type.

La Vision de Matthieu qui tient lieu de noyau théophanique aux images de Seconde Parousie ou de Jugement serait donc issue d'un aménagement de formules impériales sans rapport avec le discours eschatologique du Christ. Dans la mesure où la croix-trophée des images du premier et du second niveau fut assimilée au Signe du Fils de l'homme, il était naturel que s'opérât un rapprochement, une confusion d'ordre sémantique, entre cette iconographie triomphale et la vision de Parousie suggérée par la lecture de Matthieu. Le caractère synthétique des Visions de Matthieu médiévales n'est donc pas le résultat d'une simplification, ou d'un essai de synthèse à partir du texte, mais le reflet d'emprunts presque littéraux à la symbolique de la théologie du pouvoir victorieux des empereurs. Cela vaut essentiellement pour le noyau théophanique de l'iconographie du Jugement dernier, de même que pour la disposition en registres superposés. Mais les détails secondaires, en particulier tout ce qui a trait à la séparation des bons et des mauvais, sont plus directement issus du texte, bien que leur disposition, leur position dans l'ensemble soit également tributaire des usages impériaux de la Basse-Antiquité. A ce propos, on pourra comparer le portail de Beaulieu au dessin d'une base de colonne publié par du Cange [34]. Le schéma de composition est rigoureusement semblable. Au registre supérieur, une croix diadèmée portée par des anges ou une croix inscrite dans un quatre-feuilles, avec l'inscription IC XP NIKA, également portée par des anges sortant des nuées. Au second registre, le Christ ou l'empereur trônant ; au troisième registre, des dignitaires de haut rang, officiers ou « prophètes » ; au quatrième registre enfin, les morts ressuscités ou des ennemis vaincus, représentés nus et morts. Si la gravure du Cange, dont la valeur documentaire est très controversée, était réellement un souvenir de la base de la colonne de Théodose, sa confrontation avec le tympan de Beaulieu apporterait de solides arguments en faveur de la thèse défendue ici. Mais, en tout état de cause, il subsiste suffisamment de jalons entre l'iconographie triomphale du premier niveau et les Secondes Parousies du troisième pour que nous puissions être assurés d'une filiation ou d'une interpénétration entre ces deux groupes [35].

34. Voir plus haut, n. 25.

35. Au décor cappadocien de Gülli Dere, on ajoutera ce nouvel exemple encore en partie inédit : l'ensemble absidal de Saint-Jean-Baptiste de Çavuşin dont Mme Thierry prépare la publication sous forme d'une monographie. Cet autre témoignage cappadocien montre suffisamment que nous sommes en présence ici d'une formule paléochrétienne universellement répandue. Le programme de Çavuşin, par ailleurs très riche et d'une haute tenue dogmatique, est une image intemporelle de la gloire de Dieu, sans allusion à la Seconde Parousie, contrairement au décor de Gülli Dere, de type iconographique similaire, mais de date plus tardive (xe siècle). Mme Thierry attribue la décoration picturale de Çavuşin aux VIe-VIIe siècles, ce qui peut-être explique l'absence de préoccupations parousiaques et judiciaires, auquel cas nous pourrions admettre, pour ce type, une évolution sémantique parallèle, en Cappadoce et en Occident.

EXCURSUS I

VERSIONS COMPOSITES

Au douzième siècle, il arrive que les deux éléments essentiels de la Seconde Parousie selon Matthieu (Christ trônant + ostentation de la croix) soient dissociés ou répartis sur deux faces d'un même chapiteau. Tel est le cas pour le chapiteau n° 119 (catalogue P. Mesplé) du *Musée des Augustins* à Toulouse, provenant du cloître de la Daurade. Le Christ, bras étendus, trônant dans une mandorle et porté dans le ciel par deux anges, est figuré seul, l'ostentation de la croix occupant la face opposée de ce même chapiteau (les deux autres faces sont consacrées à la Résurrection des morts) [1] [fig. 62-63].

Disposition similaire dans le bas-côté sud de la cathédrale de Genève. Daniel dans la fosse aux lions (premier pilier, face est) fait face à une vision divine (second pilier, face ouest). La face sud de ce même chapiteau est ornée du sacrifice d'Isaac, préfigure de la mort du Christ prédite par Daniel. La face est est occupée par une image de la croix : deux anges présentent une croix aujourd'hui mutilée, qui à l'origine devait être gemmée comme celle du *Musée de Toulouse.* Le lion et le bœuf complètent l'image. En face, sur la face ouest du chapiteau du troisième plier, nous retrouvons le second élément de la Vision de Matthieu, lui aussi complété par des allusions à l'Apocalypse. Le Christ trônant, flanqué de l'aigle et de l'ange fait ainsi face à l'apparition de son signe. Nous aurions donc à Genève, vers 1180, une composition iconographique comparable à celle du tympan de Beaulieu, puisque la Vision de Matthieu est associée à une image de Daniel dans la fosse aux lions [2].

Cette disposition ne correspond donc pas aux deux types antiques étudiés et définis aux chapitres précédents. Elle est pourtant fréquemment utilisée dans l'art monétaire du Bas-Empire romain, où nous voyons à l'avers de monnaies ou de médailles un buste ou la figure entière d'un empereur, et, au revers, un trophée, une enseigne, un *labarum* ou une croix flanqués de deux soldats, de deux victoires ou de deux anges [3].

L'exemple le plus caractéristique de cette série, celui qui pourrait être directement comparé aux chapiteaux de Toulouse ou de Genève, nous est fourni par un *solidus* de Justinien I [4]. A l'avers de cette pièce, Justinien est figuré trônant, en consul, avec la *mappa* et le *loros,* tenant une croix dans la main gauche. Au revers, deux anges présentent par la haste une croix à longue hampe, désignée comme le signe victorieux de l'empereur : VICTORIA AUGUSTI. La signification victorieuse de la croix, trophée du Christ ou de l'empereur, ne laisse aucun doute, car sur d'autres monnaies du IVe et du Ve siècle comparables à celle-ci, nous trouvons fréquemment, à la place de la croix, un trophée, un *vexillum,* le *labarum* ou le bouclier des *vota,* signes victorieux qui, au VIe siècle, ont tous laissé place à la croix. Sur ces dernières monnaies toutefois, la figure de l'empereur que l'on trouve à l'avers est réduite à son seul buste (voir notamment une série de monnaies de Magnence, avec au revers *Victoria* et *Libertas* pré-

1. Cf. Y. CHRISTE, *Vision de Matthieu,* 1er article, p. 122-123, fig. 3.

2. *Ibid.,* p. 122-123, fig. 2.

3. En plus de très nombreuses émissions constantiniennes (par exemple, P.M. BRUUN, *Roman imperial coinage,* t. VII, pl. II, 255, 288, IX, 350, 381, 401, XII, 119, 126, 132 : GLORIA EXERCITUS, deux soldats de part et d'autre d'une ou de deux enseignes ou *vexilla ;* buste de l'empereur au droit), voir en particulier une série monétaire de Magnence (350-353) avec le buste de l'empereur usurpateur au droit et au revers, *Libertas* et *Victoria* présentant un trophée par la haste, VICTORIA AUG LIB ROMANOR (P. BASTIEN, *Le monnayage de Magnence*) et une série de monnaies de Procopius Anthemius (467-472) avec au droit le buste du souverain et, au revers, une croix-trophée à longue hampe tenue par la haste par deux empereurs nimbés, SALUS REIPUBLICAE (J. TOLSTOI, t. I, p. 112).

4. A ce propos, cf. M. OECONOMIDES, *A consular solidus of Justinian I,* dans *American numismatic Society,* t. XII, 1966. Voir également Y. CHRISTE, *Vision de Matthieu,* 2e article, fig. 17 et 18. Je remercie M. A. Grabar qui m'a aimablement signalé ce document.

sentant un trophée, et, à l'avers, le buste de l'empereur) [5] [fig. 66-68].

Que l'ostentation de la croix et l'apparition du Christ ne soient pas figurées simultanément, mais sur deux faces de chapiteaux ne signifie pourtant pas que ces deux éléments soient directement issus du texte de Matthieu, puisque nous trouvons des exemples d'une disposition semblable dès le IVe siècle au moins. Le lien entre les images du XIIe siècle citées plus haut et celles de ces monnaies est cependant trop ténu pour que nous puissions faire état d'une filiation. J'ai pourtant tenu à relever ces rapprochements car ils s'inscriraient sans grande difficulté dans la série des images de Seconde Parousie issues du répertoire triomphal du Bas-Empire romain.

Sur d'autres monuments romans, nous retrouvons à nouveau les mêmes éléments : le Christ trônant, la croix portée par deux anges, sans toutefois que leur combinaison rappelle quelque « modèle » précis de l'art du Bas-Empire. Parmi ceux-ci, j'en retiendrai cinq à titre d'exemples, parce qu'ils présentent trois versions différentes, trois types de combinaisons fréquentes [fig. 69-72].

A Saint-Michel de Burgfelden (vers 1100-1150), la croix présentée par deux anges est superposée à l'image du Christ-Juge trônant dans une mandorle.

Au portail principal de Saint-Denis (vers 1140), la croix triomphale est en revanche placée derrière le Christ. Les quatre anges présentant les *signa* occupent le registre supérieur ; les apôtres, le second ; la Résurrection des morts, le troisième registre que constitue le linteau. La représentation des Vierges sages et folles soulignent bien l'appartenance de cette image aux chap. XXIV et XXV de Matthieu qui par ailleurs est complétée par la séparation des bons et des mauvais, et par l'assemblée des Vieillards qui occupent les voussures [6].

La présentation est à nouveau différente sur un chapiteau du déambulatoire de Saint-Nectaire (seconde partie du XIIe siècle). Les deux anges présentant la croix gemmée sont figurés sur la face ouest, alors que le Christ trônant, tenant lui-même les autres *signa* occupe l'angle nord-ouest du chapiteau. (Les autres faces sont consacrées à la séparation proprement dite).

Présentation similaire sur le tympan du Jugement dernier du baptistère de Parme (vers 1200), ou à Saint-Jacques de Compostelle, sur le tympan principal du portail de la Gloire. Le Christ trônant est régulièrement représenté au centre du tympan : l'ostentation de la croix, à sa droite ou à sa gauche.

Pour tous ces exemples, que l'on pourrait multiplier, nous retrouvons les deux éléments constitutifs des deux types antiques analysés dans les chapitres précédents. Le schéma primitif a évidemment éclaté, mais c'est le même ensemble qui est reconstitué. Cette recomposition peut être mise en rapport avec l'assimilation et l'intégration à la vision apocalyptique de Matthieu de ces formules fossilisées, où le Jugement dernier proprement dit tend à prendre la plus grande place. Il ne convenait plus dans ces conditions de respecter un schéma primitif non adapté aux exigences d'un cadre architectural et d'une symbolique en voie de transformation. Pour les deux derniers exemples cités, nous nous trouvons par ailleurs en face d'une contamination, en ce sens que le thème de l'ostentation de la croix par deux anges a été intégré à un type de composition qui sera étudié plus bas, au chapitre IV.

5. Cf. *supra*, n. 3. Nous retrouverions donc ici, mais répartis sur les deux faces d'une monnaie, les deux éléments que nous avions étudiés plus haut, sur les cuirasses romaines et les objets ou monuments chrétiens qui, directement ou non, en dérivent. La présentation est évidemment différente, mais l'ensemble ainsi reconstitué est resté le même. Les légendes de ces monnaies, GLORIA EXERCITUS, VICTORIA AUGUSTI, SALUS REIPUBLICAE, etc., précisent le sens triomphal que nous avions dégagé précédemment de l'iconographie.

6. Cf. Y. CHRISTE, *Les grands portails romans*, p. 118, 119, fig. 11, p. 129, 130, pl. XVIII, 2.

EXCURSUS II

LA LITURGIE DU VENDREDI SAINT ET L'OSTENTATION DU SIGNE DU FILS DE L'HOMME

Lorsque la croix est présentée par deux anges et qu'elle n'est pas inscrite dans un *clipeus,* une mandorle ou un cartouche, elle peut être tenue soit par la haste, soit par ses deux bras horizontaux. Bien entendu, il ne s'agit là que d'une différence de détail qui pourra paraître mineure, mais dont nous avons rencontré des exemples parmi les monuments du premier ou du second type, quels que soient le poids et la forme de la croix.

Les origines de la présentation par la haste ne poseront pas de problèmes. C'est en effet de cette manière que sont régulièrement tenus les trophées, les *vexilla* et les croix des monuments impériaux pré ou post-constantiniens. Entre autres exemples, une série de monnaies de Magnence avec au revers un trophée tenu par *Fides* et *Victoria,* un *solidus* de Justinien I avec au revers deux anges-victoires tenant une croix à longue hampe, et toute la série bien connue des images byzantines avec Hélène et Constantin tenant la croix (n. 1).

En revanche, le second type de présentation (croix tenue par ses extrémités horizontales) exige une explication plus élaborée. Il apparaît très tôt, dès le VIe siècle, sur les médaillons montés en fibule de Munich et de Pécs Gyarvanos, sur les camées et intailles de Paris et de Vienne, et se généralise sur les monuments médiévaux où l'ostentation de la croix est assimilée à l'apparition du Signe du Fils de l'homme (panneau de bronze de Vérone, chapiteau de Toulouse, Jugements ou secondes Parousies de Beaulieu, de Conques, de Chartres, etc.).

Si cette manière de soutenir la croix ne trouve que des antécédents fort vagues dans l'art romain proprement dit (on ne négligera pas, néanmoins, le décor de certaines cuirasses où l'on voit deux victoires achevant de garnir un trophée), elle est en revanche presque de règle dans l'Adoration de la croix de la liturgie « romaine » du Vendredi saint et cela, avec certitude, dès 900 environ. *Alii vero duo cantores venientes retro altare ante crucem, quae dudum illic linteo cooperta et statuta fuerat, et poplitibus et manuum articulis innixi, reverenter ipsam crucem adorant, sustentantibus eam duobus acolytis ex utraque parte, puero quoque subtus eam tenente cussinum sericum* (suit alors l'Adoration de la croix avec le chant du *Trisagion* et le répons *Ecce lignum crucis*) (n. 2). *Circa vesperum... praeparatur crux ante altare, et sustentatur hinc inde a duobus acolytis* (n. 3). *Post orationes praeparatur crux ante altare, interposito spatio inter ipsam et altare, sustentata hinc inde a duobus acolytis* (3 bis).

J'ai emprunté le premier texte à un recueil liturgique du IXe siècle, le Paris Arsenal ms. 227, dit Pontifical de Poitiers. Ce témoignage est précis et bien daté, mais on trouvera d'autres exemples collationnés par Dom Martène dans son célèbre ouvrage *Tractatus de antiqua ecclesiae disciplina in divinis celebrandis officiis,* éd. de Lyon, 1706, p. 352 et suiv.

De l'avis d'A. Baumstark (n. 4) et de M. J. A. Jungmann (n. 5). La liturgie romaine du Vendredi

1. Cf. *supra*, p. 43 et suiv., n. 3-4.
2. Texte extrait du 3e recueil liturgique dit Pontifical de Poitiers, Paris, Arsenal Ms 227, cité par Dom Martène, *in divinis officiis*, p. 373. Sur ce manuscrit et sur sa datation, cf. A. WILMART, *Notice du Pontifical de Poitiers*, dans *Jahrbuch für Liturgiewiss.*, 1924, p. 48-81.
3. *Ordo romanus* I, 34-35, *PL* 78, col. 954. Cf. M. ANDRIEU, *Le pontifical romain du M.-A.*, t. I, Rome, 1938, p. 234-237, et du même, *Les ordines romani du Haut M.-A.*, t. III (*ordines* XIV-XXXIV), Louvain, 1951, p. 498.
3 bis. Pseudo-ALCUIN, *PL* 101, col. 1.210. Cf. également AMALAIRE de METZ, *PL* 105, col. 1.026-1028. Sur le « Pontifical de Prudence de Troye » cité par Dom Martène, cf. A. WILMART, *Le vrai pontifical de Prudence de Troyes*, dans *Revue bénédictine*, t. XXXIV, 1, 1922, p. 282 et suiv.
4. *Liturgie comparée*, 3e éd. Chevetogne, 1953, p. 157 et suiv., cf. aussi *Der Orient und die Gesänge der adoratio crucis*, dans *Jahrbuch für Liturgiewiss.*, 1922, p. 1-17. Cf. également A. RÜCKER, *Die adoratio crucis am Karfreitag in den orientalischen Riten*, dans *Mélanges L.C. Mohlberg*, t. I, Rome, 1948, p. 379-406.
5. *La Liturgie des premiers siècles*, Paris, 1962, p. 401.

saint est très ancienne et dérive en grande partie du cérémonial de l'Adoration de la croix en usage à Jérusalem avant Héraclius. « Le rite de l'*adoratio crucis* disparut ensuite de sa patrie palestinienne et l'on n'en trouve plus trace dans les livres officiels du rite byzantin de nos jours. Mais c'est à Rome surtout et dans tout l'Occident que s'est répandue l'adoratio crucis » (n. 6). Le témoignage d'Ethérie (éd. Geyer, p. 88 et suiv. et surtout p. 98) est d'ailleurs des plus intéressants pour notre propos, car elle mentionne la présence de deux « diacres » de part et d'autre de la relique de la croix, usage qui s'est longtemps conservé dans l'office du Vendredi saint de l'ordre des Dominicains.

Un autre argument en faveur d'une influence de la liturgie du Vendredi saint sur cet aspect de l'iconographie du Jugement est apporté par deux panneaux, l'un de la chaire de la cathédrale de Sienne (cf. E. Carli, *Il pulpito di Siena,* Rome, 1943, pl. 83) l'autre provenant de la chaire aujourd'hui remontée de la cathédrale de Pise (cf. H. Keller, *Giovanni Pisano,* Wien, 1942, fig. 123). Les deux anges qui flanquent la croix sont en effet revêtus d'habits sacerdotaux [fig. 37].

Les nombreux Jugements derniers italiens (voir en particulier celui de Cavallini à Saint-Cécile de Rome) où la croix est présentée au-dessus d'un autel, pourraient également être mis en rapport avec l'ostentation de la croix du Vendredi saint. A propos du voile qui recouvre la croix on se reportera également au chapiteau de Toulouse, à un autre chapiteau du cloître de Moissac et au Jugement dernier de la chaire de Pistoia de Giovanni Pisano (n. 7) « *...illi duo cantores, qui graecam antiphonam decantaverant, discoperiunt crucem et elevantes eam in altum incipiunt antiphonam Ecce lignum crucis. Tunc se pariter prosternunt in terram tam clerus quam populus... et statuitur crux in loco ubi adoranda est, et sustentatur ab acolythis ex utraque parte...* » (n. 8).

Si cette hypothèse pouvait être vérifiée, nous aurions là un autre exemple de superposition du thème de la Crucifixion et de celui de la Seconde Parousie, superposition qui constitue l'un des caractères essentiels de l'iconographie médiévale de la Vision de Matthieu. Nous nous occuperons plus spécialement de ce problème au chapitre V.

6. BAUMSTARK, p. 157 et 158.

7. Sur ces trois exemples cités parmi d'autres, le « linge » qui repose sur la croix pourrait être le souvenir de trois réalités distinctes mais dont les signes se chevauchent : le manteau de pourpre des trophées et des croix triomphales ; le suaire, preuve de la Résurrection ; et enfin le voile qui recouvre la croix avant l'adoration proprement dite.

8. Paris, Arsenal 227 ; cité par Dom Martène, p. 373. C'est ce dernier recueil qui donne le plus de détails sur le déroulement de la cérémonie (Martène, p. 371-376 ; Wilmart, p. 66 et suiv. ; ms. 227, fol. 174v-193r).

CHAPITRE III A

CHRIST DEBOUT TENANT LUI-MÊME LA CROIX

Après les travaux de A. Alföldi, F. Gerke, A. Grabar et de J. Kollwitz, les origines romaines de ce premier type ne poseront pas de problèmes : nous en retrouverons les antécédents sur de nombreux monuments (en particulier sur des monnaies et médailles) où l'on voit Romulus, Mars ou un empereur tropéophore s'avancer de profil, le trophée sur l'épaule, une lance à la main, traînant derrière eux ou foulant aux pieds un captif, un prisonnier de guerre ou une personnification de province conquise [1]. A partir du IVe siècle, un dragon foulé aux pieds ou percé par la pointe d'un *labarum* remplace parfois le captif [2]. Cette image familière, d'autant plus connue qu'elle figurait souvent au revers des monnaies, passa rapidement dans l'iconographie chrétienne où elle servit, tout naturellement, à célébrer les épisodes triomphaux de l'histoire du Christ. On la retrouve notamment à l'occasion de la Transfiguration (*Psautier d'Utrecht*, fol. 83v), du Portement de la croix [3], de la Résurrection, de l'Ascension ; elle fournira le schéma de l'Anastasis [4] ; au xe siècle enfin, celui de la Seconde Parousie du fol. 9v du *Bénédictional d'Aethelwold* (*Brit. Mus. Add. 49.598*) [5].

Sous son aspect chrétien, ce dernier type fut aussitôt rapproché d'un passage célèbre d'Isaie (*Is.* IX, 6) : *Ecce puer natus est nobis, filius datus est nobis, et imperium super humeros ejus, imperium* étant alors traduit par *vexillum, principatus,* ou *trophaeum crucis,* par assimilation de la croix aux enseignes, *labara* ou mannequins armés de la symbolique romaine [6]. Et comme ce texte fut relié au fameux verset 10 du *Ps.* 96 (95) : *Dominus regnavit a ligno* (traduction de la *Vetus latina*) = *regnavit per tropaeum, vexillum crucis,* cette interprétation symbolique a permis que cette figure isolée s'introduise dans diverses scènes triomphales, dans divers contextes historiques, où la puissance du Christ, *rex regum et dominus dominantium* (*Ap.* XIX, 16), s'était manifestée aux yeux des hommes. Bien que l'on sache mal si c'est le texte qui est responsable de ce choix, ou au contraire si c'est l'image qui a fixé l'attention sur ces textes, le fait est là : les épiphanies du Christ-Empereur sont exprimées par le moyen de la symbolique romaine [fig. 73-76].

Un texte de Léon I commentant précisément *Is.* IX, 6 nous offre un bon exemple de cette assimilation : *Cum ergo Dominus lignum portaret crucis, quod in sceptrum sibi converteret potestatis, erat quidem hoc apud impiorum oculos grande ludibrium,*

1. Sur les trophées romains, sur leur théologie et leur signification, voir notamment, K. WOELKLE, *Beiträge zur Geschichte des Tropaions,* dans *Bonner Jahrbücher,* t. CXX, 1911, p. 127-235, pl. VIII-XII ; et surtout G.C. PICARD, *Les trophées romains,* Paris, 1957.

Sur le passage du trophée à la croix, voir notamment, J. GAGÉ, Σταυρὸς νικοποιός, dans *Revue d'hist. et de philosophie religieuse,* Strasbourg, 1933, p. 370-400 ; A. ALFOELDI, *Hoc signo victor eris,* dans *Antike und Christentum,* 1939, p. 1-18 ; F.GERKE, *Die Zeitbestimmung der Passionssarkophage,* dans *Archaeologiai Ertesitö,* t. 52, p. 15 et suiv. Berlin-Budapest, 1939 ; A. GRABAR, *L'empereur ;* et E. DINKLER, *Bemerkungen zum Kreuz als Tropaion,* dans *Mullus, Festchrift T. Klauser,* Münster, 1964, p. 71 et suiv.

Sur les monnaies citées dans ce chapitre, voir J. MAURICE, *Numismatique constantinienne,* Paris, 1908-1911 ; R.M. ALFOELDI, *Die konstantinische Goldprägung,* Mainz, 1963 ; P.M. BRUUN, *Constantine and Licinius* (*Roman Imperial Coinage,* t. VII), Londres, 1966 ; W. WROTH, *Catalogue of the imperial coins in the British Museum,* Londres, 1908 ; Comte TOLSTOÏ, *Monnaies byzantines* (en russe), t. I, 1912 ; F. GERKE, *L'iconografia delle monete imperiale dall'Augusta Galla Placidia alla fine dell'imperio d'Occidente,* dans *XIII corso sull'arte ravennate e bizantina,* Ravenne, 1966, p. 163-203.

2. Voir GRABAR, *L'empereur,* p. 43 et suiv., 127 et suiv., p. 258 et suiv. Voir en particulier MAURICE, t. I, p. 506-512, pl. IX, 2, monnaie d'or frappée à Constantinople, entre 326-330, avec le *labarum* sur un serpent.

3. Voir plus bas, p. 48.

4. A ce sujet, voir A. GRABAR, *L'empereur,* p. 245 et suiv.

5. Voir plus bas, p. 52 et suiv.

sed manifestabatur fidelibus grande mysterium : quia gloriosissimus diaboli victor et inimicarum virtutum debellator, pulchra specie triumphi sui portabat trophaeum, et invictae patientiae humeris signum salutis adorandum regnis omnibus inferebat[7]. (Cf. également Ambroise (*CSEL* 32, 3, p. 495) : *Sed iam tropaeum suum victor adtollat. Crux supra humeros imponitur quod sive Simon sive ipse portaverit*).

Pour décrire la montée au Calvaire, saint Léon ou saint Ambroise ne se réfèrent donc pas au texte évangélique, mais à des images romaines et à leur contenu symbolique. Avant même d'être cloué sur la croix, le Christ, tel un empereur qui ne peut être vaincu, marche au combat, assuré de son triomphe. La croix, l'instrument du supplice, est son trophée, le symbole de sa puissance cosmique devant laquelle tout devra s'incliner. On notera également les allusions aux forces du mal et au démon ; les ennemis que le Christ s'apprête à défaire [fig. 75].

L'interprétation triomphale de saint Léon n'a pourtant rien d'original, puisqu'on la trouve déjà chez Tertullien (et également chez Irénée) qui, dans *Adversus Judaeos* X, 11-12, considère la montée au Calvaire comme le début triomphal de la royauté du Christ, ainsi que chez saint Augustin, saint Jean Chrysostome, etc. *Quis omnino regum insigne potestatis suae super humerum praefert et non aut in capite diadema aut in manu sceptrum ? At ut aliqua proprietate usus nova sit, solus rex novus novorum aevorum, Jesus Christus, novam gloriam et potestatem et sublimitatem suam in humero extulit, crucem scilicet, ut secundum superiorem prophetiam exinde « dominus regnaret a ligno »*[8]. (Tertullien vient en effet de citer, en X, 11, *Is.* IX, 6 et le *Ps.* 96, 10).

De quo mysterio multe ante dictum fuerat per Prophetam : et erit, inquit, principatus super humerum ejus (*Is.* IX, 6). *Tunc enim Christus principatum ejus super humerum ejus habuit, quando crucem suam admirabili humilitate portavit. Non incongrue crux Christi significat principatum. Nam per ipsam et diabolus vincitur, et totus mundus ad Christi notitiam et gratiam revocatur*[9].

Et Jesum, ubi mors dominata est, ibidem tropaeum erexisse, hoc est crucem quam tulit contra mortis tyrranidem. Et quemadmodum victores, ita Jesus victoriae signa humeris tulit[10].

On pourrait multiplier les exemples.

La croix étant assimilée au trophée, instrument et symbole de la toute puissance impériale, on comprend mieux dès lors les petites scènes miraculeuses contenues dans les compartiments latéraux des diptyques de Saint-Lupicin (Paris, Cabinet des Médailles de la Bibl. nat.), d'Etschmiatzin (Musée d'Erevan) et de Murano (Musée de Ravenne), dont nous avons étudié la partie centrale au chapitre précédent[11]. C'est en effet par le pouvoir de sa *virtus*, signifiée par le trophée de la croix, que le Christ par avance vainqueur de la mort guérit les malades, chasse les démons ou ressuscite les morts. Et puisqu'elle est le signe de son pouvoir, il est naturel que ses disciples ou ses anges la brandissent à leur tour, comme les soldats et les victoires qui accompagnent les empereurs.

Pour évoquer l'Ascension, autre épiphanie triomphale le Pseudo-Chrysostome utilise à nouveau ce même type : *Non reliquit* (*crucem*) *in terra, sed attraxit* (*eam*) *et in caelum deduxit. Quia venturus*

6. L'assimilation de la croix à un trophée ou à d'autres signes du pouvoir (*vexilla*, X des *vota*, etc.) apparaît on le sait très tôt sous la plume des Pères apologistes. Avant même que le christianisme ait été reconnu religion officielle, il en est fait mention chez Justin (*Apol.* I, 55, 3), Minucius Felix (*Oct.* 29, 7) ou Tertullien (*PL* 2, col. 629), etc. La plupart de ces textes étant connus depuis longtemps, je ne citerai que ceux qui intéressent directement notre propos, en renvoyant le lecteur aux encyclopédies spécialisées et à l'ouvrage de J. Bosio, *La trionfante e gloriosa croce*, Rome, 1610, où se trouve réunie quantité de textes intéressants. Dans *RLAC*, voir notamment t. VII, 1969, col. 705-710 (W. Seston).

7. *PL* 54, col. 339-340. *Debellator omnium barbarorum* (ici *debellator inimicarum virtutum*) est une légende fréquente sur les monnaies avec empereur tropéophore. Cf. A. Grabar, *L'empereur*, p. 44. Voir également J. Kollwitz, *Das Bild von Christus dem König*, dans *Theologie und Glaube*, t. II, 1947-1948, p. 115-116, où ces deux textes sont commentés.

8. *Corpus Christ. lat.*, II, 2, p. 1378 et suiv. Cf. K. Wessel, *Christus Rex*, col. 127-129.

9. *PL* 39, col. 1.750, *De immolatione Isaac*, VI, 3 (*De tempore*, 71).

10. *PG* 59, col. 459, *In Johan.* 19, 16, *Hom.* 85. Ce dernier texte, qu'il soit de Jean Chrysostome ou simplement attribué à lui, est très important, car il dépend de deux types impériaux dont on retrouve l'écho dans l'art chrétien contemporain. La première partie du texte : *et Jesum, ubi mors dominata est, ibidem tropaeum erexisse*, pourrait être comparée aux ampoules de Terre Sainte ornée d'un buste du Christ sommant une croix, de même qu'aux autres monuments du même type analysés plus haut, dans le premier chapitre de cette étude. Là-même où la mort a été vaincue, c'est-à-dire sur le Golgotha, le Christ a érigé son trophée, en l'occurence une croix sommée du buste ou du chrisme, l'équivalent chrétien de l'enseigne militaire avec le portrait du souverain, ou du trophée surmonté du buste d'une divinité cosmique, Apollon, Séléné, Neptune, etc. Quant à la seconde partie du texte, *quemadmodum victores tulit Jesus signa victoriae*, elle évoque naturellement le type impérial que nous étudions ici. Cela dit, nous pouvons alors préciser le sens des images des ampoules ou des sarcophages évoqués plus haut. Leur noyau central ne représente en effet ni la Crucifixion, ni la Résurrection, mais la victoire du Christ sur le Calvaire, et par conséquent son pouvoir cosmique révélé à l'occasion des épiphanies du Vendredi Saint et de Pâques. La Résurrection ne serait donc que la conséquence de ce triomphe qui sur certains sarcophages est associé à celui de Pierre et de Paul, de Daniel ou des trois Hébreux, et par la suite au fidèle décédé qui à son tour y participe individuellement.

11. Voir plus haut, p. 32 et suiv.

est cum illa in secundo et glorioso ejus adventu, ut discant homines esse rem honorabilem [12]. Et lorsqu'il décrit, quelques lignes plus bas, la Seconde Parousie selon *Matth.* XXIV, c'est encore une image triomphale romaine, d'un type différent, mais exactement synonyme, qui transparaît sous les aménagements chrétiens : *Et sicut imperatorem regalis pompa praecedit, et militaris ordo praeeundo, vexilla humeris portare consueverunt, et his ejus declaratur adventus : sic et Domino de coelo veniente, Angelorum coetus et Archangelorum multitudo illud signum portabunt humeris excelsis, regalem nobis adventum nuntiantes* [13].

A la même époque, Ephrem le Syrien et saint Augustin (ou plus probablement un auteur anonyme dont on a attribué le sermon à l'évêque d'Hippone) utilisent le même schéma :

Adveniet Filii hominis signum, et prodiens apparebit Dominus cum virtute magna et majestate multa, signo praeeunte eum salutaris ligni, nec non et omnibus virtutibus coelorum cum universo choro sanctorum signum sanctae crucis gestantibus humeris, praecedente ante illum tuba angelica [13 bis].

Quemadmodum enim ingredientem regem in civitatem exercitus antecedit, praeferens humeris signa atque vexilla regalia, ita Domino descendente de coelis praecedet exercitus angelorum, qui signum illud, id est triumphale vexillum, sublimibus humeris praeferentes divinum regis coelestis ingressum terris trementibus nuntiabunt [14].

Cette transposition presque littérale d'une pompe impériale romaine, nous la retrouvons, sous une forme différente, celle de l'*Adventus*, dans certaines images de l'Entrée à Jérusalem (chaire de Maximien à Ravenne, linteau copte d'All-Moallaka au Caire, diptyques de Paris et d'Erevan) [15], mais il faut attendre curieusement la fin du Xe siècle pour rencontrer une image de Seconde Parousie bâtie sur ce modèle et donc semblable aux descriptions que nous en donnent les textes paléochrétiens cités plus haut. (On pouvait donc, semble-t-il, s'intéresser à cet instant, sans que les iconographes et les évêques aient éprouvé pour autant le besoin de le représenter dans l'art sacré.) Ce n'est pourtant pas en Orient, ni même à Rome, mais en Occident, dans le *scriptorium* de Winchester, que ce retour triomphal du Fils de l'homme fut composé, peut-être sur le modèle d'une Anastasis de type byzantin, comme le suppose M. K. Weitzmann [16].

De son niveau romain, le type que nous étudions dans ce troisième chapitre a donc conservé son *schéma* primitif et surtout, ce qui est essentiel, sa *signification* triomphale. En tant que motif isolé, il ne constitue toutefois qu'un simple noyau triomphal, sorte de signe abstrait pouvant être inséré dans des compositions de caractère symbolique ou historique, localisées ou non à tel ou tel moment de la vie du Christ. Tel est le cas, par exemple, pour une image de l'Ascension-Résurrection d'une cassette de marbre du Ve siècle du Musée de Ravenne. Le Christ est vu de profil, la croix sur l'épaule gauche et saisi au poignet par la main de Dieu. Cette scène complexe, qui évoque également le *chaire te* du matin de Pâques, ne correspond à aucun texte, à aucun épisode précis. Traduisant en revanche la conception johannique du retour du Fils auprès du Père immédiatement après la Résurrection, elle se réfère pour cela à l'iconographie impériale dont elle constitue une transposition chrétienne de caractère synthétique, la main de Dieu évoquant l'Ascension, l'intronisation à la droite du Père, alors que les deux femmes prosternées aux pieds du Christ ressuscité et une sorte de mausolée sculpté sur la partie droite de la plaque pourraient faire allusion au matin de Pâques [17] [fig. 76].

12. *PG* 49, col. 403-404. Voir également Paulin de Nole (*Poema* XIX, 651-5) : *Effractisque abbyssis caelos penetravit apertos, victricem referens superata morte salutem. Utque illum patriae junxit victoria dextrae, vexillumque crucis super omnia sidera fixit.*

13. *PG* 49, col. 404.

13 bis. Traduction latine (VIIIe siècle) d'un sermon attribué à Ephrem le Syrien, publié par C.P. CASPARI, *Briefe, Abhandlungen und Predigten aus den zwei letzten Jahrhunderten des kirchlichen Altertums...*, dans *Christiania*, 1890, p. 220, cité par E.H. KANTOROWICZ, *The « King Advent »*, p. 226.

14. *PL* 39, col. 2.051 et suiv., *Sermo* CLV. Voir également Cyrille de Jérusalem, *Cat.* XV, *PG* 33, col. 899 et suiv. : le signe de la croix resplendissante de lumière précédera le Seigneur.

15. A ce sujet, voir A. GRABAR, *L'empereur*, p. 234 et suiv., et E.H. KANTOROWICZ, *The « King Advent »*. L'association d'un Christ en gloire trônant dans le ciel et d'une Entrée à Jérusalem, c'est-à-dire d'une image de la gloire céleste à une image d'un triomphe terrestre conçu comme un *Adventus* impérial (cf. *JS.* II, 113, 11) est relativement fréquente dans l'art paléochrétien : linteau copte dit d'Al Moâllaka, sarcophage de Junius Bassus, volet de diptyque chrétien à cinq compartiments du Musée d'Erevan. Sur ce sujet, voir A. GRABAR, *Deux portails sculptés paléochrétiens d'Égypte et d'Asie Mineure, et les portails romans*, dans *Cahiers Archéologiques*, t. XX, Paris, 1970, p. 15 et suiv.

16. K. WEITZMANN, *Various aspects of byzantine influence on the latin countries from the sixth to the twelfth century*, dans *DOP*, t. XX, p. 18 et suiv. On pourra comparer cette dernière image à l'Ascension du fol. 64v de ce même manuscrit.

17. Cf. J. VILLETTE, *La Résurrection du Christ*, p. 73 et suiv. Voir également J.A. JUNGMANN, *La liturgie des premiers siècles*, Paris, 1962, p. 387 et suiv. : La liturgie romaine garde sans cesse devant les yeux le drame entier de la Passion, à tel point que, dès le dimanche des Rameaux, nous demandons au Seigneur, dans la perspective de la croix : *ut et patentiae ipsius habere documenta et ressurrectionis consortia mereamur.* Et même le Vendredi Saint, à l'occasion de l'adoration de la croix, les hymnes parlent de la *sancta resurrectio* (p. 399-400).

Sous d'autres formes, toutes synonymes (empereur debout, presque de face, tenant un trophée, une enseigne ou un *labarum*), ce même type peut également servir à une composition triomphale, sans localisation temporelle ou géographique, comme celle du Christ foulant aux pieds le lion et le dragon, l'aspic et le basilic. Le type romain, empereur tropéophore foulant au pied un dragon ou un lion, recouvre ici les célèbres versets du Psaume XC, 13 : *super aspidem et basiliscum ambulabis, et conculcabis leonem et draconem.* On pourrait citer comme exemples un relief en stuc du Baptistère des Orthodoxes de Ravenne (Christ marchant de profil), la mosaïque restaurée de la chapelle archiépiscopale de Ravenne (Christ en armure, presque de face) ou le plat de reliure carolingien du Ms Douce 176 de la *Bibliothèque Bodléienne* d'Oxford [18]. Portant sa croix sur ses épaules, le Christ, presque de face, écrase le lion et le dragon, l'aspic et le basilic. Dans les *Psautiers* occidentaux, le fait est intéressant à signaler, cette image fait souvent suite, quand elle ne lui est pas directement associée, aux épisodes de la Tentation au désert. Au fol. 101r du *Psautier d'Odbert de Saint-Bertin* (Boulogne, Bibl. mun. 20) (fin du Xe siècle) le Christ foulant le lion et le dragon est directement opposé au démon de la première tentation ; par avance vainqueur de l'épreuve, il écrase le symbole de son adversaire. Ayant publié ailleurs une étude sur ce thème [19], je me contenterai de rappeler ici cette association fréquente qui fut notamment reprise sur le portail de Beaulieu (vers 1160). On pourra cependant comparer ces dernières images à certains sarcophages avec scènes de la Passion dont le noyau triomphal — croix-trophée sommée d'un chrisme, « Traditio legis », Christ debout tenant une croix à longue hampe, etc. — est lui aussi confronté à des scènes d'épreuves [20]. Bien que le contexte historique soit différent (Passion ou Tentation au désert), la composition est également soumise à un motif triomphal, issu de la symbolique impériale et célébrant le Christ *semper et ubique victor* à l'occasion d'épisodes difficiles de sa vie terrestre [21] [fig. 77-81].

Ce troisième type, nous le retrouvons enfin sur toute une série d'Ascensions carolingiennes, ottoniennes ou romanes, avec Christ gravissant une colline, marchant ou volant dans le ciel, croix sur l'épaule [22]. Il peut être figuré de profil — et dans ce cas nous reconnaissons aisément le type de Mars ou de l'empereur tropéophore marchant à pas accéléré — de trois-quarts ou même de face, avec ou sans mandorle. Dans ces derniers exemples, son attitude évoque alors d'autres types impériaux, équivalents aux premiers et très répandus à partir du IVe siècle, notamment au revers des monnaies : ceux qui figurent l'empereur ou le *Princeps juventutis,* de trois-quarts ou de face, tenant un trophée, un *labarum* ou une enseigne [23]. (Le Christ debout, tenant une croix à longue hampe, des absides ou des sarcophages paléochrétiens — sarcophage n° 106 de l'ancien *Musée du Latran,* abside de Saint-Michel in Affricisco autrefois à Ravenne — dérive lui-même de ces dernières versions) [fig. 77, 81-83].

Un motif directement issu de l'iconographie impériale a donc été inséré, après transformation, dans une scène de caractère triomphal dont le point de départ historique est l'Ascension ou le Retour du Christ. Dans ces conditions, il était naturel que la Vierge, saint Paul ou d'autres témoins plus ou moins anachroniques soient associés à la victoire du Christ. Comme il ne s'agit pas ici d'un fait historique correspondant à un texte précis, mais d'une représentation triomphale célébrant l'intronisation du Christ à l'occasion de son ascension, toute liberté était permise.

Quelques rares exceptions mises à part (par exemple celle des portes de Sainte-Sabine à Rome), les traductions historicisantes de ce thème — Christ disparaissant dans le ciel, les nuées, etc. — sont d'ailleurs relativement tardives, alors que ses traductions symboliques les plus anciennes — du type de l'ivoire de Munich ou du linteau copte du Caire — ignorent

18. F.W. DEICHMANN, *Frühchristliche Bauten und Mosaiken von Ravenna,* Baden-Baden, 1958, fig. 73 et 217 ; W.F. VOLBACH, *Elfenbeinarbeiten,* n° 221.

19. *Le portail de Beaulieu, étude iconographique et stylistique,* dans *Bulletin Archéologique,* t. VI, Paris, 1971.

20. Voir par exemple dans H. von CAMPENHAUSEN, *Die Passionsarkophage,* les fig. 5, 7 et 8 (*Traditio legis*), fig. 9 (Christ debout tenant une croix gemmée à longue hampe), fig. 10 et 16 (Christ trônant). Cette iconographie centrée sur le triomphe céleste qui a suivi la *Pentacostê* et le sacrifice de la Passion s'accorde bien avec la liturgie du *Triduum* pascal telle que l'a définie J.A. Jungmann. Elle est évidemment de caractère eschatologique, mais il ne s'agit pas ici d'une eschatologie future ou parousiaque, mais d'une eschatologie réalisée, d'une image du règne déjà inauguré.

21. Sur l'expression conjointe de l'idée de Passion et de Gloire, voir plus bas, chap. V, p. 76 et suiv.

22. Sur la typologie de l'Ascension, voir H. SCHRADE, *Zur Ikonographie der Himmelfahrt Christi,* dans *Vorträge der Bibliothek Warburg 1928-1929,* Leipzig, 1930 ; H. GUTHBERLET, *Die Himmelfahrt Christi in der bildenden Kunst von den Anfängen bis ins hohe Mittelalter,* Strasbourg, 1934.

23. Voir en praticulier A.M. ALFOELDI, *Die konstantinische Goldprägung,* pl. VI, 92 (empereur au trophée-SECURITAS PERPETUA) ; pl. VI, 94 ; VIII, 133-134 ; IX, 146-150 ; XV, 213-215 ; XIX, 241-242 (césar avec une enseigne ou un *vexillum*-PRINCIPI JUVENTUTIS) ; etc.

délibérément le célèbre récit des *Actes des Apôtres*. Cela semblerait donc indiquer que l'art chrétien primitif, en tant que système de communication plus idéologique que narratif, se souciait fort peu, de même que l'art impérial contemporain, de figurer un événement historique précis. Sur ce plan, l'évolution du thème de l'Ascension est assez semblable à celle du thème que nous traitons ici, la Vision de Matthieu, dont les éléments constitutifs sont empruntés à la même tradition. L'adéquation texte - image - événement historique intervient assez tard, et, pourrait-on dire, par touches successives. Parmi les Ascensions antérieures au VIIe siècle, celle qui pour nous est la plus proche du récit de saint Luc, l'Ascension du *Rabulensis* (vers 586), est également la plus tardive. Son caractère triomphal reste toutefois dominant et laisse au second plan l'épisode du Mont des Oliviers [24]. Le même phénomène s'étant produit, parallèlement, pour d'autres thèmes iconographiques importants — Mort sur la croix, Résurrection, Anastasis, etc. — on usera donc de la plus grande prudence en comparant texte et image. En dépit des recommandations de saint Nil et de saint Grégoire, on ne devrait plus se laisser prendre au piège d'une interprétation trop littérale de leurs préceptes sur la valeur éducative, à l'usage des illettrés, de l'imagerie chrétienne.

Le fait que différents types romains célébrant le culte de l'empereur et sa théologie de la victoire soient à l'origine du schéma iconographique d'une importante série d'Ascensions rend donc inutile des épithètes géographiques fallacieuses : syrienne, palestinienne, byzantino-palestinienne, etc., qui servent encore à désigner ses diverses versions médiévales. Parmi les images d'Ascension avec un Christ debout (avec ou sans croix), le type « syrien », le type « hellénistique » recouvrent en fait deux groupes de types impériaux que l'on pouvait appliquer à l'art chrétien aussi bien à l'Est qu'à l'Ouest de l'Empire. Avant de figurer dans le *Rabulensis,* le Christ « syrien » — en fait une transposition du thème romain de *l'adlocutio* impériale — apparaît au Ve siècle déjà dans la coupole de Saint-Georges de Salonique, et à Rome, sur l'un des panneaux de bois des portes de Sainte-Sabine [25]. A vrai dire, ces deux dernières images ne représentent pas une « Ascension », mais si l'épisode du Mont des Oliviers n'est pas directement signifié, il a servi de point de départ, de prétexte historique, pour ces théophanies triomphales et eschatologiques qui par la suite seront plus précisément localisées à un moment déterminé de l'histoire du Salut [25 bis].

Je ne vois donc aucune différence fondamentale entre l'Ascension du *Sacramentaire de Drogon* (Paris, B.N., lat. 9.428, fol. 71v) ou celle du portail de Montceaux-l'Étoile. Dans les deux cas, l'image du Christ (marchant de profil, croix sur l'épaule gauche - debout, presque de face, croix à longue hampe dans la main droite) dérive de types impériaux également répandus et de surcroît synonymes, et je ne crois pas, dans ces conditions, qu'il soit utile de localiser géographiquement les plus anciennes interprétations chrétiennes de types romains universellement diffusés.

Dans sa manière de signifier le triomphe du Christ à l'occasion de l'Ascension ou de la Résurrection, l'art chrétien primitif est resté tributaire des usages impériaux. Ce qui compte, en effet, est moins le lieu ou les péripéties de la victoire que sa nécessité, sa réalité cosmique et ses conséquences. Pas plus que l'art officiel du Bas Empire, l'art chrétien primitif ne *décrit* des événements historiques ; il exalte en revanche les hauts-faits du souverain *semper et ubique victor* à l'occasion de ses épiphanies victorieuses. Dans les images chrétiennes de caractère triomphal, l'élément historique restera donc secondaire ou marginal. Et quand il gagne en importance, c'est en général par adjonctions de détails périphériques ne touchant guère au noyau primitif [fig. 82-83].

Il est pourtant arrivé que l'on ait ressenti le besoin de rendre visible un fait historique précis, comme la mort sur la croix ou la sortie du tombeau. On fut alors obligé de créer une imagerie nouvelle : Christ sortant de son tombeau, Christ aux yeux fermés, tête

24. Cf. J. LEROY, *Les manuscrits syriaques à peintures,* Paris, 1964, p. 186-188.

25. Voir A. GRABAR, *A propos des mosaïques de la coupole de Saint-Georges de Salonique,* dans *Cahiers Archéologiques,* t. XVII, Paris, 1967.

25 bis. La signification de cette image, l'intronisation du Fils dans le royaume céleste après sa résurrection, a peu varié. En revanche, son insertion dans l'histoire se laisse moins bien définir quand elle n'est pas traduite comme un événement précis, ainsi que se sera régulièrement le cas dans l'art gothique ou, dès la fin du Xe siècle dans la miniature anglaise. Triomphe intemporel, Ascension ou Seconde Parousie conformément à *Actes* I, 11 ne sont pourtant que des variantes du thème triomphal de base, l'épiphanie terrestre du Mont des Oliviers n'étant que l'occasion de définir un triomphe eschatologique réalisé, se réalisant ou au contraire tourné vers le futur, la dernière perspective, qui n'exclut pas la première, tendant à s'imposer dans l'art monumental carolingien (cf. les *tituli* de Raban Maur) et roman. A l'époque gothique, la Vision de Matthieu se substituant progressivement aux autres traductions de la Seconde Parousie, l'Ascension ne sera plus qu'un épisode historique parmi d'autres.

affaissée, etc., apte à traduire d'autres concepts, d'autres réalités doctrinales, par exemple la réalité de l'Incarnation, la réalité de la mort et de la résurrection. Tel fut le cas au Sinaï ; à Byzance, à la fin de l'époque iconoclaste, dans l'entourage du patriarche Photios (*Psautiers à illustrations marginales* Chludov, Paris, B.N. grec 20, Pantocrator 61) ; et en Occident, entre 830-860 (*Psautier d'Utrecht,* ivoire de « style Liuthard » servant de plat de reliure au *Livre de Péricopes* de Henri II), pour des images de la Résurrection, du Lavement des pieds et surtout de la Crucifixion avec le Christ mort [26]. Que cette iconographie nouvelle qui, pour les besoins de polémiques doctrinales, figurait un événement plutôt que sa réalité symbolique, ait finit par l'emporter, ne doit pas étonner. L'art chrétien médiéval, en particulier l'art gothique, préfère en effet les représentations historicisantes et événementielles qu'il substitue aux versions triomphales, tournées vers l'eschatologie, plus familières à l'art chrétien primitif [27].

Il faut pourtant attendre la fin du Xe siècle pour rencontrer une image de ce troisième type complètement transformée en Vision de Matthieu. Une fois encore, on est donc forcé de constater que textes et images ne sont pas forcément superposables, puisque le fol. 9v du *Bénédictionnaire d'Aethelwold* est postérieur de près de cinq siècles aux « descriptions » de Secondes Parousies citées plus haut. Le Christ apparaît ici dans les nuées, enfermé dans une mandorle très effilée. Il tient une croix à longue hampe de la main gauche, un livre de la droite et rayonne de traits de lumière. L'inscription de son manteau (*in femore !*) REX REGUM DNS DOMINANTIUM correspond exactement à *Ap.* XIX, 16 (*et habet in vestimento, et in foemore suo scriptum : Rex regum...*) et ne laisse aucun doute sur la valeur triomphale et apocalyptique de cette apparition qui se réfère et à l'*Apocalypse* et à *Matth.* XXIV, 30. Onze anges disparaissant à-demi dans les nuages accompagnent le Fils de l'homme. Le premier, qui semble le précéder, porte une croix à longue hampe. Il est suivi de trois acolytes qui brandissent la lance, le roseau et peut-être les clous.

Visiblement, l'artiste anglais n'a pas inventé le schéma de cette composition — une Anastasis ou une Ascension de type dynamique. Il s'est contenté de l'adapter à une Seconde Parousie, tout en se référant, pour les détails circonstanciels, au chap. XXIV, 30 de Matthieu et XIX, 14-16 de l'*Apocalypse,* l'iconographie de l'*Adventus* impérial servant alors de canevas [28] [fig. 84].

Cette interprétation historique et dynamique de la Seconde Parousie (qui est ici mise en rapport avec la liturgie de l'Avent) n'a pourtant pas été retenue comme image de la Vision de Matthieu. Elle représente une sorte d'hapax de l'iconographie de ce thème et on ne peut guère la comparer qu'au Retour du Christ du registre supérieur du mur ouest de Münster (IXe s.) ou du narthex du Pigeonnier de Gülli Dere en Cappadoce (Xe s. ?) décrit plus haut [29]. A l'image du Christ venant prendre place sur le trône (*Matth.* XXIV, 30), l'iconographie médiévale préfère en effet l'image statique et plus majestueuse du Fils de l'homme trônant en majesté (*Matth.* XXV, 31) (*Ap.* XX, 11). Cette tendance est d'ailleurs générale et vaut également pour les autres thèmes théophaniques rapprochés de la Seconde Parousie. A l'époque romane, en particulier, c'est généralement l'image du Christ assis, entouré de Vieillards eux-mêmes assis, qui est choisie pour « illustrer » la Vision de saint Jean, *Ap.* IV étant alors transposé en *Ap.* XX, 11,

26. Cf. A. GRABAR, *L'iconoclasme byzantin,* Paris, 1957, p. 196 et suiv.

27. Ainsi que l'a montré M. R. HAUSSHERR, *Der tote Christus am Kreuz,* Bonn, 1963, le Crucifié mort sur la croix apparaît en Occident entre 830-860 (en particulier *Psautier d'Utrecht,* fol. 67, couverture d'ivoire du *Livre de péricopes de Henri II*) sur des images en rapport avec la théologie de l'Eucharistie. « Das Interesse an der Darstellung des toten Gekreuzigten im « Historienbild » ist offenbar erst durch seine sacramentale Bedeutung möglich werden. » (p. 124) Ce type, qui ne devient vraiment usuel, et dans certaines régions seulement, qu'à partir de l'époque ottonienne, aurait donc été créé pour des raisons théologiques. Quand il finit par s'imposer, à l'époque gothique, il a toutefois perdu son caractère théologique originel et sert à représenter un événement historique, un fait précis rendu de plus en plus de manière réaliste. En Occident, l'évolution de l'iconographie de la Crucifixion serait donc parallèle à celle de la croix telle qu'elle apparaît dans la Vision de Matthieu. Le Crucifié mort sur la croix et le Signe du Fils de l'homme-bois du supplice sont en effet relativement rares aux IXe, Xe et XIe siècles. Les exemples que nous avons rencontrés (San Zeno de Vérone, Burgfelden, Reichenau-Oberzell) se situe d'ailleurs dans la même aire d'expansion que celle des Crucifixions avec Christ mort. Au XIIe siècle encore, en France, où cette iconographie nouvelle ne s'est pas encore imposée, c'est la croix triomphale qui prédomine dans les images de la Vision de Matthieu (chapiteaux de la Daurade à Toulouse, de Moissac ou de Saint-Nectaire, tympans de Saint-Denis, de Beaulieu ou de Conques, etc). La généralisation du Crucifié mort sur la croix coïncide également avec la disparition rapide, au profit du Jugement dernier introduit par une Vision de Matthieu, des théophanies surnaturelles de l'âge roman. Sur ce même problème, voir également J.A. JUNGMANN, *La lutte contre l'arianisme germain et l'orientation nouvelle de la civilisation religieuse au début du Moyen Age,* dans *Tradition liturgique et problèmes actuels de pastorale,* Lyon, 1962, p. 15-86, où l'interprétation de M. HAUSSHERR est située dans une perspective plus vaste. Voir également plus bas, chap. V, p. 78 et suiv.

28. Sur cette image, voir K. WEITZMANN, *Various aspects of byzantine influence,* dans *DOP,* t. XX, p. 17-18, pl. 33 ; et F. WORMALD, *The Benedictional of St. Aethelwold,* Londres, 1959, p. 20, pl. 3.

29. N. et M. THIERRY, *Ayvali Kilise ou Pigeonnier de Gülli Dere,* dans *Cahiers Archéologiques,* t. XV, p. 131 et suiv. ; voir aussi plus haut, chap. II, p. 41 et suiv.

du présent eschatologique à l'eschatologie future ou parousiaque. Dans le cas de l'Ascension, le Christ assis est également plus fréquent que le Christ debout, qui, dans cette dernière attitude, n'est que très rarement représenté de profil [30]. A ce propos, on pourrait citer un texte de Raban Maur où ces deux attitudes sont brièvement commentées, *a posteriori : sed scitis, fratres, quia sedere judicantis est* (cf. *Matth.* XXV, 31, *Ap.* XX, 11, etc.), *stare vero pugnantis vel adjuvantis. Quia vero Redemptor noster assumptus est in coelum, et nunc omnia judicat, et ad extremum judex omnium veniet. Hunc post assumptionem Marcus sedentem, Stephanus vero in labore certaminis positus stantem vidit, quem adjutorem habuit, quia ut iste in terra persecutorum infidelitatem vinceret, pro illo de coelo illius gratia pugnavit* [31]. Les illustrations du *Psautier d'Utrecht* semblent donner raison à l'exégèse de Raban Maur qui, sans le savoir, interprète ici deux groupes d'images d'origine impériale : le groupe « militaire », avec l'empereur debout ; le groupe « palatin », avec l'empereur assis [32]. La royauté, la la toute puissance, et même la divinité [33] sont donc mieux signifiées par l'attitude assise, « en majesté ». Cette préférence pour la figure assise, quand il s'agit de rendre une théophanie surnaturelle, révèle toutefois une tendance de l'art médiéval occidental qui mériterait d'être étudiée de manière attentive, car pour l'époque paléochrétienne et l'art médiéval de Rome, il ne semble pas que l'attitude assise (cf. Sainte-Pudentienne ou San Aquilino de Milan) l'ait emporté sur la figure debout (cf. Saints-Cosme-et-Damien ou Sainte-Cécile).

Mais avant de passer à l'étude des diverses versions de la figure assise, je voudrais analyser brièvement quelques exemples de Secondes Parousies se référant indirectement au texte de Matthieu.

On peut en effet se demander dans quelle mesure une Ascension avec un Christ debout tenant une croix à longue hampe n'était pas reconnue, au Moyen Age, comme une image du Retour du Christ à la fin des temps. Le texte des *Actes des Apôtres* — *sic veniet quemadmodum vidistis euntem in coelum* — et sa paraphrase par Raban Maur — *Ecce sator hominum victor super aethera scandit / Discipulisque suis regni sacra limina pandit / Quem sic venturum angelica hic oracula spondent* — sont à cet égard formels et les quelques Jugements introduits par un Christ debout (Negrentino, église Saint-Ambroise, façade occidentale de Saint-Pierre d'Angoulême) nous invitent à retenir cette hypothèse. Et puisque l'Ascension préfigure le Retour, il était naturel qu'on l'associât étroitement à des apparitions surnaturelles jugées synonymes : *Matth.* XXIV-XXV et *Ap.* IV-V transposés en *Ap.* XX, 11.

En prenant appui sur le témoignage de saint Jean Chrysostome — *crucem deduxit in coelo, quia venturus est cum illa* — et sur le fol. 9v du *Bénédictionnaire d'Aethelwold,* qui par ailleurs reprend, avec des additions, le registre supérieur de l'Ascension du fol. 64v, on pourrait admettre qu'une Ascension comme celle de Montceaux-l'Étoile se confond pratiquement avec la Seconde Parousie. Toutefois, en l'absence de détails significatifs à la périphérie de l'image, la seule présence d'une croix à longue hampe dans la main du Christ ne suffit pas à situer la scène à la fin des temps. Ce type, par ailleurs fort commun, est en effet emprunté à une tradition trop ancienne pour être significatif à lui seul.

Une localisation précise à un endroit privilégié de l'église ou des détails circonstanciels ne prêtant pas à confusion peuvent cependant nous faire connaître sa signification particulière. A partir de la fin du VIIIe siècle, au nord des Alpes, il semble en effet presque certain qu'une Ascension, ou toute autre image de théophanie, annonce la Seconde Parousie, quand elle est figurée sur la façade, au portail ou même dans l'abside [34]. De même, des détails secondaires ou un contexte précis peuvent situer ce noyau triomphal à l'instant du Retour.

Il en est ainsi pour une miniature irlandaise célèbre et très souvent citée, la page 267 du Saint-Gall, Ms 51 (vers 760). Le Christ en buste, tenant le livre et bénissant, soutient une croix à courte hampe contre sa poitrine. Il est flanqué de deux anges, debout et sonnant la trompette, et apparaît à douze personnages, sans doute les apôtres, debout eux aussi et rangés sur deux registres. Cette apparition triomphale est certainement une image de la Seconde Parousie,

30. Voir à ce propos Y. CHRISTE, *Les grands portails romans,* p. 154 et suiv.

31. *PL* 110, col. 235, texte inspiré littéralement de saint Grégoire, *In ascensione domini, PL* 76, col. 1217.

32. Cf. C. IHM, *Apsismalerei,* p. 11-12, qui se réfère pour cette distinction à J. KOLLWITZ, *Das Bild von Christus dem König,* dans *Theologie und Glaube,* t. I, 1947-1948, p. 95 et suiv.

33. *Majestatem ejus haud dubium quin divinitatem ejus intellegere debemus, quae invisibiliter cum Patre et Spirituo sancto peccatores judicabit et impios. Non tamen ab impiis et peccatoribus unquam visa est, neque videbitur* (*PL* 107, col. 1096).

34. A ce propos, voir A GRABAR, *The Virgin in a mandorla of light,* dans *Late classical and medieval studies in honor of A. Friend Jr,* Princeton, 1956.

car elle est complétée, sur la page 266 qui lui fait face, par une Crucifixion. Nous aurions donc là la juxtaposition d'une image de gloire rejetée à la fin des temps et d'une image du sacrifice sur le Calvaire. On retrouve d'ailleurs cette même association sur toute une série de croix monumentales irlandaises (Christ debout et triomphant + Crucifixion), sur la croix de Gunhild, à Reichenau-Oberzell (Crucifixion + Vision de Matthieu), à Saint-Jouin-de-Marne, etc. A l'époque gothique, ainsi qu'on le verra plus bas, ce même binôme sera régulièrement représenté, mais par superposition des deux idées, dans l'image du Christ trônant, flanc découvert et montrant ses plaies, en compagnie des deux témoins de la Crucifixion devenus des intercesseurs : la Vierge et Jean l'Évangéliste[35] [fig. 85].

Il en est de même pour la double page séparée d'un manuscrit irlandais provenant de Bobbio, le O. IV. 20 de la Bibliothèque Nationale de Turin. Sur le feuillet droit, le Christ debout et tenant une croix à longue hampe, apparaît à quatre-vingt-seize témoins répartis sur dix registres superposés. Un ange sonnant de la trompette à l'angle supérieur droit et trois têtes dans les autres angles évoquent peut-être les quatre vents, les quatre points cardinaux dont il est question en *Matth.* XXIV, 31 : « et il enverra ses anges avec une trompette sonore, pour rassembler ses élus des quatre points de l'horizon, d'un bout des cieux à l'autre ». Nous aurions donc là une image cosmique du retour du Christ victorieux, *victor super aethera,* au milieu de témoins déjà bienheureux. La Seconde Parousie est encore une fois mise en valeur par la miniature de la page précédente. Celle-ci représente en effet une Ascension très schématique et très statique, mais du type des ampoules de Terre Sainte, composée, au registre supérieur, d'un buste du Christ flanqué de deux anges enfermés dans un disque entouré de quatre autres anges ; et, au registre inférieur, d'un ange dans un disque et de douze apôtres représentés en buste, et répartis sur deux registres. L'inscription qui accompagne cette image (*Actes* I, 11) se rapporte à l'Ascension et prépare l'image suivante dont il vient d'être question : *Viri Galilei quid hic statis aspicientes in celum...* [fig. 86].

Nous avons donc à nouveau l'association de deux images complémentaires, la Seconde Parousie selon Matthieu explicitant l'Ascension-Seconde Parousie décrite dans *Actes* I, 11. Dans ces deux derniers exemples, nous constatons toutefois que deux images triomphales ont été volontairement insérées dans une progression historique, la Crucifixion et l'Ascension préludant au retour victorieux de *Matth.* XXIV, XXV. Le Jugement dernier, la séparation proprement dite, ne sont pourtant pas évoqués.

Ce dernier type (Christ debout, de profil, de face ou de trois-quarts, portant lui-même sa croix), fréquemment utilisé pour signifier l'intronisation dans le royaume céleste à l'occasion de l'Ascension ne s'est guère introduit dans l'iconographie de la Vision de Matthieu. Les quelques exemples rencontrés sont rares et peu significatifs ; ils sont cependant suffisamment nombreux pour attester de l'évolution d'un type triomphal à l'origine abstrait et emprunté à l'iconographie de la théologie politique des empereurs romains.

35. Sur ces images, voir B. BRENK, *Tradition und Neureung,* p. 28-64, pl. 17.

36. *Ibid.,* p. 69, pl. 18 ; sur la combinaison de ces deux dernières images avec une Crucifixion et une Ascension, voir E. ZIMMERMANN, *Vorkarolingische Miniaturen,* p. 240-242, 246-247, t. III, pl. 188 et 211.

CHAPITRE III B

CHRIST ASSIS TENANT LUI-MÊME LA CROIX

Entre la fin du ve siècle et le début du VIe siècle, la croix, en tant que sceptre ou signe nicéphore, s'est substituée régulièrement aux autres « instruments » ou « signes » du pouvoir : trophées, *vexilla, labara,* sceptres, etc. Cette importante mutation, mise en valeur par M.J. Gagé [1], nous dispensera d'une étude plus détaillée, portant sur des représentations plus anciennes de l'empereur trônant avec sceptre (par exemple celle de Constantin trônant avec un « signe de la Passion salutaire »), étude qui présenterait évidemment un intérêt considérable, mais qui serait hors de propos dans le présent travail. A ce sujet, nous nous contenterons donc de renvoyer le lecteur aux recherches de M.A. Alföldi [2], pour nous consacrer aux seules images du cycle impérial qui, bien que relativement tardives, présentent d'étroites analogies formelles avec celles du Christ trônant portant sa croix comme un sceptre : c'est-à-dire les représentations des consuls, empereurs ou non, trônant sur leur siège de parade à l'ouverture des jeux. Cette iconographie particulière est bien représentée par une série de diptyques et par des monnaies ou médailles, de la fin du IVe siècle au milieu du VIe siècle. Sur tous ces monuments, le souverain, ou le consul, est régulièrement représenté de face, *en majesté,* tête tournée vers les spectateurs, ce qui n'était pas le cas dans l'iconographie impériale antérieure au IIIe siècle [3]. Il peut être figuré seul [4] ou entouré de sa garde, de dignitaires, de personnifications (par exemple Roma et Constantinopolis) ou de quelques membres de sa famille, qui, s'ils sont associés au pouvoir, peuvent être figurés trônant à ses côtés [5]. Sur tous les monuments appartenant à cette série, le personnage trônant, empereur ou consul, tient son sceptre de la main gauche, quelle que soit sa forme, croix latine à manche court (à partir du début du ve siècle), sceptre à l'aigle dans le cas du consul-empereur, sceptre surmonté d'un ou de plusieurs bustes impériaux, dans le cas du simple consul [6], la main droite étant alors réservée à la *mappa,* au globe surmonté de la croix, à un geste de libéralité, de parole, etc. [7] [fig. 87-88].

Cette présentation figée, qui ne varie guère entre la fin du IVe siècle et le milieu du VIe siècle, se retrouve fréquemment sur des monuments paléochrétiens qui lui sont parallèles et où le Christ trônant s'est substitué à l'empereur. Sur la mosaïque du Christ en berger et en souverain céleste du « mausolée » de Galla

1. Σταυρὸς νικοποιός, dans *Revue d'histoire et de philosophie religieuse,* t. XIII, 1933, p. 371-400.
2. *Das Kreuzszepter Konstantins des Grossen,* dans *Schw-Münzblätter,* t. IV, p. 81 et suiv. ; *Die monarchische Repräsentation im römischen Kaiserreiche,* Darmstadt, 1970, p. 225-235. Cf. également, pour les sceptres consulaires, R. DELBRUECK, *Consulardiptychen,* p. 61-62 ; et pour les sceptres cruciformes, J. DEER, *Das Kaiserbild im Kreuz,* p. 90-91.
3. A. GRABAR, *L'empereur,* p. 197 et suiv.
4. Quelques exemples : Honorius en consul, sceptre à l'aigle dans la main gauche, *mappa* dans la main droite (Delbrück, *Texband,* pl. 1, 3), Léon Ier en consul, croix à manche court dans la main gauche (Tolstoi, t. I, pl. VIII, 15-16), Justinien Ier en consul, croix à manche court dans la main gauche (M. OECONOMIDES, *A consular solidus of Justinian Ier,* dans *American numismatic society, museum notes,* t. XII, 1966).
5. Cf. par exemple Tolstoi, t. I, pl. V, et 32 (Théodose II en consul, croix dans la main gauche, avec son associé Valentinien III, mais de plus petite taille, assis à sa gauche).
6. Cf. R. DELBRUECK, *Consulardiptychen,* p. 61-62. Cette « règle » souffre évidemment quelques exceptions, par exemple dans le cas où le consul en exercice n'a pas reçu l'investiture de l'empereur légitime, ainsi Basilius, consul à Rome en 480 (sceptre cruciforme, et Boethius, consul en 487, également à Rome (Delbrück, n°s 6 et 7). La Majestas Domini de la salle capitulaire de Lavaudieu (XIIIe s., début) a conservé un souvenir étonnant et fort précis de cet usage. Le Christ trônant tient en effet de la main gauche un sceptre terminé par un petit panneau rectangulaire sur lequel sont perchés trois oiseaux, très certainement les trois personnes de la Trinité.
7. Cf. par exemple la « libéralité » de Constance II dans le Calendrier de 354 (Delbrück, fig. 19). Celui-ci, qui est représenté trônant, porte le sceptre à l'aigle dans la main gauche, alors que son parent, le césar Gallus, debout et lui faisant pendant, porte le sceptre surmonté d'un buste.

Placidia, sur un stuc avec donation de la loi du baptistère des Orthodoxes [8], sur l'arc triomphal de San Lorenzo-hors-les-murs et dans l'abside de San Theodoro à Rome [9], le Christ trônant tient sa croix-sceptre de la main gauche, conformément au schéma impérial qui vient d'être évoqué. A ce niveau, la croix n'est toutefois pas assimilée au signe de Seconde Parousie de *Matth.* XXIV, 31, mais à un sceptre, à un insigne du pouvoir impérial, le Christ étant lui-même désigné comme un souverain céleste, non comme le Juge de la fin des temps qu'il n'est ici qu'en puissance.

Je ne ferai donc pas de différences notables entre les images triomphales de ce type et celles dont il a été question dans la première partie de ce chapitre : Christ de profil, debout, croix sur l'épaule ; Christ debout, de face ou de trois-quarts, tenant une croix dans la main droite ou la main gauche. Toutes, en effet, se réfèrent directement ou indirectement à des types impériaux de schémas similaires dont la signification de base, la toute puissance d'un souverain *semper et ubique victor,* reste sensiblement la même. (La croix s'étant substituée au trophée, au *vexillum,* au *labarum,* au sceptre court à l'aigle, au long sceptre surmonté d'une boule, il est facile de comprendre ses différents aspects, tous synonymes : croix à longue hampe ou à manche court) [fig. 89-90].

A partir de l'époque carolingienne, le sceptre, que ce soit la croix à longue hampe ou à manche court dans la main du Christ ou le long bâton sommé d'une boule, le sceptre jovien d'Auguste, de Constantin ou d'Honorius, passe fréquemment dans la main droite du souverain (voir par exemple les autels d'or de Saint-Denis, de Saint-Ambroise de Milan ou d'Aix-la-Chapelle, le portail nord de la cathédrale de Bâle (vers 1190), pour les images du Christ ; l'*Évangéliaire de Lothaire,* Paris, B.N. ms lat. 266, fol. 1v ou le feuillet séparé du Musée de Chantilly, pour les images impériales) [10]. Ce n'est toutefois pas une règle, car Charles le Chauve dans la scène de dédicace de la *Bible de Vivien* (Paris, B.N. ms lat. 1, fol. 423r) ou Otton III (?) sur le seau à eau bénite du trésor d'Aix-la-Chapelle, portent leur sceptre de la main gauche [11] [fig. 91-92].

On ne s'arrêtera donc pas à cette différence, sinon pour remarquer que la manière de tenir le sceptre de la main droite correspond aussi à un usage romain bien établi, dont il existe des représentations nombreuses qui ont probablement servi de modèles pour les majestés impériales de Paris et de Chantilly que nous pouvons aisément comparer à une série de multiples constantiniens avec l'empereur trônant sur un haut siège avec escabeau, sceptre à long manche dans la main droite et dominant d'une tête les deux césars représentés debout à ses côtés [12]. On observera toutefois que sur les monuments impériaux du Bas Empire cités plus haut, les personnages assis tiennent généralement leur sceptre de la main gauche, ce qui pourrait expliquer, par analogie, la fréquence des images du Christ trônant, croix-sceptre dans la main gauche. Et comme le trophée était généralement tenu lui aussi de la main gauche ou porté sur l'épaule gauche, il était naturel que sous forme de croix il passât plutôt dans la main gauche que dans la main droite.

Les images médiévales de ce type ont évidemment conservé la signification triomphale qui leur était attachée précédemment dans l'iconographie romaine ou paléochrétienne. Dans ces conditions, il est donc difficile de préciser leur signification, de dire si le Christ des autels ou *antependia* de Saint-Denis, de Milan ou d'Aix-la-Chapelle est le Fils de l'homme triomphant de la Seconde Parousie ou le Christ-empereur, égal au Père, qui règne dans le ciel. Bien que l'image centrale, de caractère eschatologique, des *pala d'oro* de Volvinus et d'Aix mettent un terme à un cycle historié relatif à la Première Parousie, et même si la Vierge et saint Michel écrasant le dragon complètent la majesté de l'autel ottonien de la chapelle palatine, il est peu probable que la Seconde Parousie soit leur sujet principal [13].

Il arrive cependant que des éléments secondaires précisent le sens de leur noyau théophanique. Tel est le cas, par exemple, pour un feuillet du *Psautier d'Aethelstan* (Londres, Brit. Museum, Cotton MS. Galba A. XVIII, fol. 21r), addition anglaise de la

8. Cf. W.F. DEICHMANN, *Frühchristliche - Bauten und Mosaiken von Ravenna, Tafelband,* Baden-Baden, 1958, pl. 8 et 83. On ajoutera à cette liste le Christ trônant, croix dans la main gauche, du fol. 6r, de l'*Évangéliaire d'Etchmiatzin,* cité plus haut, chap. II, p. 32-33.

9. Cf. IHM, *Apsismalerei,* p. 138-140 et p. 140-141.

10. Cf. P.E. SCHRAMM, *Die deutsche Kaiser und Könige in Bildern ihrer Zeit,* Berlin, 1928, pl. 17 et 75 ; P.E. SCHRAMM et F. MUETHERICH, *Denkmale der deutschen Kaiser und Könige,* pl. 48.

11. P.E. SCHRAMM, *Deutsche Kaiser,* pl. 26 et 76a. On trouvera d'autres exemples de cette même attitude dans le volume de planches de ce dernier ouvrage.

12. Nombreux exemples (avec la légende FELICITAS PERPETUA AUG ET CAESS NSS ou SALUS ET SPES REIPUPLICAE) dans A.M. ALFOELDI, *Die konstantinische Goldprägung,* pl. XVI, 216-219 ; XVII, 220-223 ; XX, 244-245.

13. L'eschatologie présente, réalisée me paraît être plus importante pour ces images réservées au culte liturgique, que l'eschatologie future.

première partie du xe siècle[14]. Le Christ trônant, flanqué de l'A et de l'Ω, croix à manche court dans la main gauche, apparaît aux élus — *omnis chorus martyrum, confessorum, virginum* — le flanc droit découvert et montrant ses plaies. Il s'agit donc bien d'une Seconde Parousie, le Fils de l'homme se présentant aux justes à la fois comme le roi de gloire de Matthieu et comme le crucifié du Golgotha [fig. 93].

Des constatations voisines valent également pour la Seconde Parousie du fol. 41v du *Lectionnaire de Bernulphe* (Christ trônant sur l'arc-en-ciel, croix à longue hampe dans la main gauche et présidant au Jugement) et celle qui introduit le Jugement dernier du *tondo* du Vatican (Christ trônant sur l'arc-en-ciel, croix gemmée à longue hampe dans la main gauche, disque impérial avec l'inscription ECCE VICI MUNDUM dans la main droite) [15] [fig. 94].

Nous reviendrons plus bas sur un autre exemple du même type, celui de la chapelle Saint-Silvestre auprès de l'église des Quatre-Saints-Couronnés à Rome.

Sur tous ces monuments, il ne fait aucun doute qu'on ait voulu figurer une Vision de Matthieu (l'inscription du *tondo* se réfère d'ailleurs à *Matth.* XXV), mais il ne semble pas qu'on ait insisté beaucoup sur l'idée que la croix, le sceptre impérial du Christ, était le signe du Fils de l'homme de *Matth.* XXIV, 30. L'explication de cette particularité iconographique est par ailleurs aisée, puisque l'image que nous avons sous les yeux n'a pas été créée pour illustrer cet épisode. Empruntée à une tout autre tradition, elle a simplement subi quelques aménagements, quelques additions, en vue d'être introduite dans le contexe judiciaire et apocalyptique de la fin des temps.

Le problème est à peine différent pour les noyaux théophaniques des fol. 53v de l'*Apocalypse de Bamberg* et 202r du *Livre de Péricopes de Henri II,* lesquels s'inscrivent également dans un courant impérial bien marqué[16]. Le Christ trônant sur un siège surélevé et qui domine ses assesseurs, les anges et les apôtres, nous pouvons le rapprocher de compositions similaires et qui probablement auront servi de modèles : les multiples constantiniens cités plus haut, et, à la même époque, les majestés impériales ottoniennes qui furent créées, à partir d'images carolingiennes, dans le même atelier que ces deux manuscrits[17]. L'attitude du Christ présentant sa croix est tout à fait semblable à celle de Constantin, de Lothaire ou d'Otton III tenant leur sceptre à long manche de la main droite ; et si la croix n'est pas ici le sceptre à longue ou courte hampe des monuments précédents, mais une croix massive et d'or, c'est que l'iconographe, qui pensait aux commentaires de *Matth.* XXIV, 30, a tenu à insister sur l'importance du Signe du Fils de l'homme, *tropaeum crucis* plutôt que bois du sacrifice[18] [fig. 95].

A propos des images de cette série, nous ferons rapidement quelques remarques d'ordre plus général que nous étendrons alors à d'autres types, parallèles ou synonymes. Leurs origines impériales et paléochrétiennes ne font semble-t-il aucun doute, mais dans la mesure où il est souvent malaisé, et cela jusqu'au xiie siècle au moins, de distinguer une croix-sceptre d'une croix-signe de Seconde Parousie, on peut se poser quelques questions sur la véritable nature des visions de la fin des temps choisies comme noyaux théophaniques d'un Jugement. Contrairement à ce qui est annoncé en *Matth.* XXIV-XXV, nous avons presque toujours rencontré des images statiques, et même sereines, que seuls des éléments secondaires ou périphériques permettent de rattacher à la révélation apocalyptique de la fin des temps. Ce ne sont pourtant pas l'absence ou la présence de ceux-ci qui constituent le problème essentiel, mais bien la valeur qui s'attache au noyau théophanique lui-même, ce dernier déterminant alors, et logiquement, ses propres compléments circonstanciels, une assemblée de saints, de martyrs ou d'apôtres sur une prairie paradisiaque, dans le cas d'une vision eschatologique intemporelle ; un Jugement dernier ou des élus, dans le cas d'une vision de Seconde Parousie.

Mais le noyau théophanique, alors même qu'il subit une importante modification d'ordre sémantique,

14. E. MILLAR, *La miniature anglaise du Xe au XIIIe siècle,* Paris, 1926, p. 2 et suiv., pl. 2.

15. Sur ce lectionnaire, voir B. BRENK ; *Tradition und Neuerung,* p. 133, fig. 48. Sur le *tondo* du Vatican, voir en dernier lieu, V. PERI, *La tavola vaticana del Giudizio Universale,* dans *RPAA,* t. XXXIX, Rome, 1967, p. 161 et suiv. Contrairement à Paeseler, Peri se prononce, avec de bonnes raisons, pour une datation à la fin du xie siècle (1060-1070).

16. Sur ces deux miniatures, voir BRENK, *Tradition und Neuerung,* p. 131-132, fig. 45-46.

17. Voir par exemple, P.E. SCHRAMM, *Deutsche Kaiser,* pl. 73, 74, 75, 78.

18. Que la croix ait un aspect massif ne signifie pas que seul le bois du supplice ait retenu l'attention du miniaturiste, comme le suppose, à tort, M. Brenk, p. 131 de *Tradition und Neuerung.* Celle-ci, qui est dorée, est assimilée au trophée, et non pas au sceptre que recouvre la croix grêle à longue hampe du *Lectionnaire de Bernulphe.* On pourra par ailleurs comparer les croix massives de ces deux miniatures à celle que soutiennent les Victoires de nombreux revers monétaires paléochrétiens, d'Eudoxie (395-404) à Anastase (491-518) [fig. 103].

ne change guère de forme ; il n'est affecté que superficiellement, par adjonction de détails secondaires qui permettent toutefois d'en reconnaître la véritable signification. Cela semblerait donc indiquer que l'époque carolingienne, où, nous l'avons vu, s'est opérée une importante mutation de l'expression théophanique, n'a pas recomposé l'iconographie triomphale héritée de la Basse Antiquité chrétienne. Nous avons pu le remarquer déjà à propos des théophanies impériales rapprochées de Matthieu, mais cela paraît tout aussi évident pour la vision de l'Anonyme trônant entre les animaux et les Vieillards (elle aussi noyau théophanique de nombreux Jugements) qui se situe au début de l'*Apocalypse,* avant l'ouverture des sceaux et du Jugement proprement dit [19]. Cette vision céleste où l'on a vu à tort une révélation de la Seconde Parousie, est située hors du temps ; elle est une image de la gloire de Dieu, de la réalité paradisiaque, et c'est, je crois, commettre un abus, ou projeter sur l'art paléochrétien des interprétations médiévales inadéquates, que d'assimiler les images qui en dérivent à des Secondes Parousies. Le livre ou le rouleau aux sept sceaux, attribut du Christ-Agneau, est d'ailleurs toujours représenté *fermé,* aussi bien quand il accompagne le Christ que l'Agneau ou le trône que vénèrent les Vivants et les Vieillards. A l'époque carolingienne, quand elle est située à la fin des temps, c'est-à-dire quand elle est transposée d'un bloc d'*Ap.* IV-V en *Ap.* XX, 11 (voir par exemple les *tituli* d'Alcuin pour l'abside de Gorze), cette même image ne varie pas ; le lieu, le moment de sa révélation ont changé — ses compléments périphériques seront donc différents — mais son noyau proprement théophanique, Christ trônant ou Agneau, n'est touché que superficiellement, par additions ou soustractions de notations secondaires [20].

Étendues aux images de Seconde Parousie citées au début de ce chapitre, ces quelques remarques liminaires permettent d'expliquer que la croix, signe de victoire et de pouvoir cosmiques, ait gardé son aspect triomphal dans des compositions judiciaires où normalement on devrait s'attendre à rencontrer le bois du supplice. Cela est particulièrement sensible dans la Seconde Parousie de la chapelle Saint-Silvestre dans l'église des Quatre-Saints-Couronnés à Rome, œuvre du XIIIe siècle, où le Christ trônant et montrant ses plaies à la manière gothique, présente de la main gauche une croix-sceptre ornée de gemmes, alors que les autres « instruments », la lance et les clous, la couronne d'épines et le roseau, sont figurés de manière réaliste, de part et d'autre du trône [21] [fig. 96].

19. Celui-ci n'apparaît que beaucoup plus tard, en *Ap.* XX, II et suiv.
20. A ce sujet, voir plus bas, chap. IV, excursus I, p. 66 et suiv.
21. G. MATTHIAE, *Pittura romana del medioevo,* t. II, Rome, s. d., p. 150, pl. 128-130.

CHAPITRE IV

CHRIST, ASSIS OU DEBOUT, ACCOMPAGNÉ D'UN ANGE PORTANT LA CROIX

Ce quatrième chapitre est consacré à un type de Jugement, ou de Seconde Parousie, qui ne semble pas avoir à première vue de précédents romains ou paléochrétiens. Il s'agit pourtant d'une composition célèbre, qui après avoir été choisie pour le porche de Saint-Savin (vers 1100) et la contre-abside de Reichenau-Oberzell (1100-1150), réapparaît fréquemment dans l'iconographie monumentale de l'époque gothique, en particulier sur les portails des grandes cathédrales françaises (Amiens, Bourges, Paris, Poitiers, etc.). En dépit de quelques variations de détails, sa partie centrale peut être caractérisée de la manière suivante : un Christ trônant et montrant ses plaies, flanqué de deux ou de quatre anges debout, dont l'un, à sa droite ou à sa gauche, tient la croix. Cette dernière image occupe presque toujours le registre supérieur du tympan où elle domine la résurrection des morts et la séparation des bons et des mauvais. Elle est en outre complétée par une *Déisis* dont les protagonistes agenouillés sont généralement la Vierge et Jean l'Évangéliste (Jugement des cathédrales d'Amiens, de Bordeaux, de Bourges, de Paris, de Poitiers, de Troyes, etc. ; à Reims, au portail nord et à Bamberg, au portail « des princes », le Baptiste, conformément aux usages byzantins a remplacé l'Évangéliste). Sous cet aspect nous aurions donc une *superposition* de deux images ou de deux thèmes complémentaires : d'une part le Christ-Juge, Fils de l'homme de la Seconde Parousie selon Matth. XXIV-XXV, d'autre part le Rédempteur crucifié qui réapparaît à la fin des temps entre les deux témoins du sacrifice du Golgotha, la Vierge et saint Jean. Dans ce contexte particulier, les « *signa* » qui sont aux mains de la garde angélique sont naturellement assimilés aux instruments de la Passion. Et quand bien même des textes contemporains continuent à les appeler *trophées* (voir notamment ce qu'il est dit de la couronne d'épines au temps de saint Louis), c'est en instrument du supplice qu'ils sont généralement représentés [1].

Dans ces conditions, si nous enlevons cette sorte de « repeint », ces « additions » médiévales que sont les plaies, les instruments de la Passion, Jean et Marie en intercesseurs, nous retrouvons au-dessous un schéma bien connu : l'image du Christ trônant dans le ciel et flanqué d'anges sceptrigères (voir par exemple à Ravenne : abside de Saint-Vital, nef de Saint-Apollinaire-le-Neuf, Santa Agata Maggiore, voir aussi les absides de Dodo en Géorgie et à Antinoé, la chapelle funéraire de Théodosia ou la *Majestas Domini* du ms. 1 de la Bibliothèque laurentienne, le *Codex Amiatinus*) [2]. Les anges avec instruments se retrouvent par ailleurs sur l'arc triomphal de Saint-Michel in Affricisco de Ravenne, dans une image de Seconde Parousie avec Christ trônant apparaissant dans les nuées entre deux anges portant la lance et le roseau, et sept anges buccinateurs [3] [fig. 97-100].

1. Sur la typologie de ces images, voir H. von der MUELBE, *Die Darstellung des Jüngsten Gerichts an den romanischen und gotischen Kirchenportalen Frankreichs,* Leipzig, 1911, et E. MÂLE, *L'art religieux du XIIIe siècle en France,* Paris, 1919. Très riche illustration dans W. SAUERLAENDER, *Gotische Skulptur in Frankreich,* Munich, 1970.

2. Sur ces images, voir C. IHM, *Apsismalerei,* en particulier p. 28. A l'origine de cette présentation, nous trouvons évidemment l'image de l'empereur trônant entouré de sa garde, mais il est possible que la première image chrétienne dérivant de ce type particulier remonte au début du IVe siècle déjà, si l'on en croit un texte du *Liber pontificalis* (éd. Duchesne, t. I, p. 172) mentionnant le don fait par Constantin d'un *fastigium* d'argent à l'église du Latran. Le groupe qui nous intéresse figurait au revers de cet objet : *fastigium, qui habet a tergo respiciens in absida Salvatorem sedentem in trono et angelos... tenentes hastas.* A ce propos, voir en dernier lieu M. TEASDALE-SMITH, *The Latran fastigium, a gift of Constantine the Great,* dans *Rivista di archeologia cristiana,* t. XLVI, 1-2, Rome, 1970, p. 149 et suiv. Voir également dans Verc. CLXV, fol. 2 v° (vers 840) l'image de Constantin entouré de deux gardes, avec lance et bouclier, présidant à la condamnation des hérétiques ariens au Concile de Nicée. Cette image d'un concile, la première de ce type qui nous soit parvenue, présente d'étroites analogies avec l'iconographie du Jugement dernier. A ce propos, voir C. WALTER, *L'Iconographie des conciles dans la tradition byzantine,* Paris, 1970, p. 50 et suiv., fig. 17.

3. C. IHM, *Apsismalerei,* p. 192.

Ceci constituera une première remarque.

La seconde a trait à l'iconographie de la Seconde Parousie, et à une comparaison de celle-ci avec ce qu'il en est dit dans les textes : Apocalypse, Évangiles synoptiques (en particulier Matth. XXIV-XXV), homélies ou commentaires correspondants. Dans la plupart de ces textes, nous l'avons déjà constaté, la Seconde Parousie est décrite ou ressentie comme une arrivée triomphale, c'est-à-dire comme un *Adventus* impérial, l'empereur étant remplacé par le Christ ; les victoires et les soldats tropéophores, par des anges portant la croix-trophée ou les instruments de la Passion (cf. notamment les textes cités plus haut, chap. II, p. 35, n. 19, et chap. III, p. 49, ainsi que l'illustration pour le troisième dimanche de l'Avent, au fol. 9v du *Benedictional d'Aethelwold*). Nous avons vu précédemment ce qu'en ont dit le Pseudo-Jean Chrysostome, saint Ambroise, le Pseudo-Augustin et le Pseudo-Ephrem (p. 35) et il est fort intéressant de retrouver à peu près les mêmes termes chez un auteur du début du XIIe siècle comme Honorius dit d'Autun : « D. *Qualiter veniet Dominus ad judicium ?* M. *Sicut, cum imperator ingressurus est civitatem, corona ejus, et alia insigna praeferuntur, per quae adventus ejus cognoscitur : ita Christus in ea forma quo ascendit, cum ordinibus omnibus angelorum ad judicium veniet : angeli crucem ejus ferentes praeibunt* » [4].

L'iconographie, à quelques exceptions près, n'a pourtant pas suivi le même chemin, en ce sens que ce n'est pas un *Adventus* qui est représenté, mais l'image statique d'un triomphe ou d'un tribunal. Cette dernière remarque est importante, car elle montre bien que ce n'est pas à partir du texte de Matthieu que les images qui font l'objet de ce livre ont été composées, mais à partir de schémas de triomphes impériaux, schémas statiques qui à l'origine n'avaient rien à voir avec le texte apocalyptique de Matthieu [5]. Si tel n'avait pas été le cas, les représentations du type du *Benedictional d'Aethelwold* seraient plus nombreuses, ne feraient pas figures d'*hapax*, car normalement c'est sous l'aspect d'un cortège, d'un *Adventus* qu'aurait dû être traduit le Retour du Christ et de son signe. La rareté des images de type dynamique paraît d'autant plus curieuse qu'il existe, parallèlement, de très nombreuses Ascensions carolingiennes, ottoniennes ou romanes, où le Christ est figuré de profil, la croix sur l'épaule, marchant ou volant dans le ciel, ou même disparaissant dans les nuages [6]. Sur ce point l'influence d'*Actes*, I, 11, n'a donc pas joué, ou s'est trouvé en contradiction avec une tradition iconographique plus vigoureuse qui a imposé les représentations statiques.

Tout en étant strictement statique, la Seconde Parousie de ce dernier type appartient néanmoins aux images du cycle de l'*Adventus*. Toutefois, à la différence de celle qui est représentée au fol. 9v du Brit. Mus. 49.598, les apparitions du Fils de l'homme de Paris ou d'Amiens sont conçues comme des images d'un cortège triomphal qui s'est arrêté, ses participants ayant alors pris place sur une tribune officielle. Et c'est ce spectacle, et non pas l'*Adventus* proprement dit qui l'a précédé, qui est figuré au sommet du portail, l'équivalent médiéval de la loge impériale du cirque dans les monuments officiels de la Basse Antiquité [7] [fig. 101-102].

Aussi historique, aussi anecdotique qu'il soit, le Jugement dernier gothique est en effet resté une manifestation théophanique, une image de la gloire et du triomphe de Dieu. Et sur ce point, en particulier quand il est situé au portail, il est resté tributaire du précédent roman où la figure du Christ de profil avait été pratiquement éliminée au bénéfice de la figure frontale, le plus souvent assise, en majesté. Entre le texte de Matthieu, qui peu à peu, par adjonction de détails périphériques ou secondaires, est remonté à la surface, et les représentations de la Seconde Parousie de ce dernier type, s'est donc intercalée la tradition des images statiques et triomphales :

4. *PL* 172, col. 1.165.

5. Il est naturellement question du Christ trônant en *Matth.* XIX, 28, XXV, 31, *Hénoch*, LXIX, 27, *Ap.* XX, 11, etc., le trône étant alors l'attribut du Roi-Juge eschatologique, mais on ne saurait expliquer l'aspect statique des Jugements et Secondes Parousies par référence à ces seuls textes. Sur les rapports entre l'image statique du triomphe du Christ et celles de l'empereur victorieux siègeant en majesté dans la tribune du cirque, voir les précieuses remarques de J. KOLLWITZ, *Das Bild von Christus dem König*, dans *Theologie und Glaube*, t. II, 1947-1948, p. 95-111, et surtout *Oströmische Plastik*, p. 145-153 (texte cité plus bas, n. 7).

6. Sur la typologie de l'Ascension, voir H. SCHRADE, *Zur Ikonographie der Himmelfahrt Christi*, dans *Vorträge der Bibliothek Warburg 1928-1929*, Leipzig, 1930, et H. GUTHBERLET, *Die Himmelfahrt Christi in der bildenden Kunst von den Anfängen bis ins hohe Mittelalter*, Strasbourg, 1934. Voir également plus haut, chap. III A, p. 50 et suiv.

7. Voir par exemple la base de l'obélisque de Théodose, face nord-ouest, sud-ouest, et surtout nord-est. A ce sujet, voir KOLLWITZ, *Oströmische Plastik*, p. 151 : « Und ähnlich vollzieht sich auch die Parousie Christi ; sie ist ein neuer Triumph. Mit seinem Engelherr kehrt er zurück ; als Standarte wird ihm das Kreuz voraufgetragen, τὸ βασιλείας σύμβολον. Höhepunkt der Siegesfeiern aber ist, ganz wie beim spätantiken Triumph, die grosse Huldigung durch Bürger und Unterworfene. Auf seinem Thron nimmt der himmlische Grosskönig Platz ; er steht erhöht, die Erde selbst wird zum Schemel seiner Füsse. Neben dem König stehen seine φίλοι, als δορύφοροι umgeben ihm die Gläubigen. »

empereurs victorieux de la Basse Antiquité, Christ triomphant dans le ciel de l'époque paléochrétienne, Christ triomphant de la Seconde Parousie de l'iconographie médiévale. C'est donc sur cet acquis, et non pas à partir du texte, que se sont constituées, entre la fin du VIIIe siècle et le début du XIIIe siècle, les différentes versions de la Vision de Matthieu et du Jugement dernier.

Sur la base de ces quelques remarques, nous pourrions donc étudier sous un aspect nouveau les origines et le développement médiéval des Jugements derniers des grandes cathédrales gothiques de France où ce quatrième type fut très souvent représenté. Ainsi que nous l'avons remarqué plus haut, la représentation des *signa* en instruments de la Passion est une sorte de *repeint* médiéval, une interprétation particulière faite dans le but évident d'assimiler le Christ-juge et triomphant de la Seconde Parousie au Crucifié et au Rédempteur de la Première. On a donc insisté sur un aspect seulement de leur signification, en laissant au second plan leur aspect triomphal, leur signification de trophées ou d'instruments du pouvoir qui elle, était restée dominante jusqu'au milieu du XIIe siècle. (Cf. à ce propos la croix triomphale et gemmée, et la couronne royale du tympan de Beaulieu). (Cf. également ce texte d'Honorius : D. *Erit crux ibi, lignum, scilicet, in quo Dominus passus est?* M. *Nequaquam, sed lux in modum crucis splendidior sole. PL.* 172, col. 1.166).

Cette signification triomphale dont parlent par ailleurs de nombreux textes contemporains [8], ne s'est pourtant pas complètement perdue dans l'iconographie gothique. Il arrive en effet que la représentation des *signa* en instruments du supplice soit en partie démentie, ou compensée, par un autre groupe de signes : celui des anges qui au sommet du tympan emportent les disques du Soleil et de la Lune, astres blafards qu'éclipse la lumière des *signa* [9]. D'autre part, la figure du Christ qui occupe le trumeau restitue elle aussi une valeur triomphale à la composition judiciaire du tympan. A Paris (statue refaite), à Amiens ou à Chartres, le « Beau Dieu enseignant » foule en effet l'aspic et le basilic, le lion et le dragon, ce qui constitue une image de triomphe intégrée au contexte du Jugement qui se déroule au-dessus.

Dans ces conditions, rien ne nous interdit de rapprocher le noyau théophanique, l'élément essentiel et déterminant de cette composition complexe qu'est le Jugement, à des images romaines ou paléochrétiennes, ainsi que nous l'avions fait aux chapitres précédents.

Dans la figure du Christ assis, flanqué de deux anges brandissant ses *signa,* les armes de son triomphe cosmique et les instruments de la Rédemption, nous distinguons ainsi la dernière étape d'une série d'aménagements chrétiens ayant affecté les images de l'empereur, représenté debout ou trônant et flanqué des soldats de sa garde dont l'un, au premier rang, présente à ses côtés son bouclier souvent orné du chrisme. Tel est le cas sur le soubassement de la colonne d'Arcadius, sur la mosaïque de l'offrande de Justinien à Saint-Vital de Ravenne (bouclier avec chrisme), sur la base de l'obélisque de Théodose (faces nord-est, nord-ouest et sud-oues), sur le *missorium* de Théodose de Madrid, au registre supérieur du diptyque de Probus d'Halberstadt, etc. [10]. Sur tous ces exemples, l'empereur fait présenter à un soldat de sa garde personnelle l'instrument de son pouvoir, son bouclier victorieux, lequel est parfois marqué du signe chrétien. *in hoc signo victor* (Cf. l'inscription du bouclier de Louis le Pieux dans le poème de Raban Maur : *Nam scutum fidei depellit tela nefanda / Protegit augustum clara tropaea parans / Devotum pectus divino munere fretum / Inlaesum semper castra inimica fugat* [11]. Cet objet est donc le synonyme du *mica fugat* [11]). Cet objet est donc le synonyme du croix des autres monuments monarchiques.

Comme complément d'une image du Christ dans le ciel, nous retrouvons cette garde d'honneur dans les deux archanges sceptrigères ou portant le *vexillum* de nombreuses absides paléochrétiennes citées plus haut [12]. Et comme le Christ trônant est figuré dans le ciel, sur la prairie du Paradis ou au milieu des justes, l'ostentation des plaies ou des instruments de la Passion ne pouvait se développer, étant en dehors du contexte historique nécessaire : la Seconde Parousie [13].

Mais dans la mesure où cette image fut rejetée

8. Cf. J. LECLERCQ, *L'idée de la royauté du Christ au Moyen Age,* Paris, 1959.
9. Notamment à Amiens et à Rampillon (SAUERLAENDER, *Gotische Skulptur,* pl. 160-165, 181).
10. A ce sujet, voir GRABAR, *L'empereur,* pl. XV (face ouest), pl. XX, 1, pl. XI-XII, pl. XVI et III.
11. Rome, Bibl. vaticane, Cod. Reg. lat. 124, fol. 4v.
12. Cf. *supra,* n. 2. Mais sous forme de soldats, d'officiers de haut rang portant les armes du souverain, nous retrouvons la garde d'honneur constantinienne sur toute une série de représentations impériales de l'époque carolingienne et ottonienne. A ce sujet voir plus bas, p. 65 et n. 26.
13. Voir plus bas, chap. V, p. 78 et suiv.

à la fin des temps, à l'horizon de l'histoire et à la face de tous les hommes rassemblés pour le Jugement, il était naturel de faire de ces anges les porteurs de *signa*-instruments de la Passion, le Christ étant lui-même désigné comme le Crucifié vainqueur de la mort et maître du monde par sa Passion. Dans cette optique, nous pourrions alors confronter l'ensemble d'un tympan gothique consacré au Jugement, par exemple celui de N.-D. de Paris, à l'une des faces de la colonne d'Arcadius. Aux registres supérieurs de ce dernier monument, nous voyons en effet une représentation triomphale et statique des Augustes victorieux par la croix, entourés de leur garde d'honneur et des soldats portant le bouclier orné du chrisme. Les témoins de leur pouvoir invincible sont figurés au-dessous, les vaincus au dernier registre, les « amis » au-dessus et acclamant les souverains. Bien qu'ils aient été modifiés pour servir au Christ de la fin des temps, les mêmes éléments se retrouvent à Paris : Christ victorieux au milieu de sa garde d'anges, l'un brandissant la croix et la couronne, signes de triomphe, l'autre la lance et les clous, *spolia* ou armes de mort arrachés à l'ennemi. (Sur la base de la colonne d'Arcadius, on retrouve également, comme sur d'autres monuments romains, les armes et les trophées du vainqueur mêlés aux armes des vaincus [14].) A Paris comme à Constantinople, les spectateurs du triomphe sont figurés aux registres inférieurs, les uns, élus ou « amis », étant associés au vainqueur ; les autres, vaincus ou damnés, étant exclus de la fête triomphale, après avoir été forcés d'y comparaître pour leur humiliation. Il est bien évident que le tympan de Paris ne dérive pas directement de la colonne constantinopolitaine, mais des comparaisons sont possibles, et même nécessaires, dans la mesure où le répertoire utilisé appartient à une même tradition, au même ensemble de signes, les uns ayant conservés leur signification et leur forme primitives, les autres ayant évolué, tout en restant sensiblement dans le même champ sémantique.

Le Jugement dernier gothique, et en particulier la Vision de Matthieu qui l'introduit, est en effet conçu comme une apparition triomphale dans la loge du cirque, après que le cortège du vainqueur s'est arrêté et que ses participants ont pris place sur la tribune, face au peuple rassemblé pour ce spectacle. Dans ces conditions, nous pouvons reconnaître dans les anges porteurs de *signa,* et spécialement dans celui qui présente la croix, la reprise quasi littérale d'un thème impérial bien connu : la *Victoria* ou *Virtus Augusti* tropéophore ou crucigère des représentations de l'*Adventus* [15], et surtout des revers monétaires du VIe siècle. Cette formule, banale, a on le sait beaucoup évolué. De sa formulation primitive : une victoire tropéophore, vue de profil et pressant le pas, on aboutit à partir du règne de Justin Ier (518-527) et surtout sous celui de Justinien (527-565) à une image statique : celle d'un ange plutôt que d'une victoire, représenté de face, ou de trois-quarts, et tenant dans sa main droite une croix-trophée à longue hampe. Entre temps, le trophée avait peu à peu laissé place à la croix (thème qui se généralise à partir de Théodose II (408-450), le mouvement de marche rapide s'étant atténué et ayant finalement disparu sous Léon Ier environ où la victoire est vue de trois-quarts, croix latine posée sur le sol [16] [fig. 103, 104, 107].

Si l'on admet ce point de vue, il est alors plus facile, d'autant que les monuments intermédiaires sont très nombreux, de comparer l'image statique que nous trouvons sur les portails gothiques aux parades militaires des victoires impériales. Le cortège s'étant arrêté, ses participants ayant pris place sur une tribune, il était naturel que la figure du triomphateur marchant de profil fut remplacée par une figure de face, le plus souvent trônante. Ce processus qui se généralise dans l'art chrétien, est déjà entamé, au début du IVe siècle, dans l'iconographie officielle de la Tétrachie ; et il finit par s'imposer sous les empereurs chrétiens, de Constantin à Théodose, l'image du souverain trônant et vu de face devenant rapidement, dans l'étiquette byzantine et même carolingienne, le signe le plus évident de la majesté et du pouvoir impérial [17]. Dans l'art chrétien, parallèlement, la même idée a fait préférer la figure du Christ trônant dans sa gloire, aussi bien à l'époque paléochrétienne (Sainte-Pudentienne, Hosios David, Saint-Vital, etc.) que carolingienne (abside de Gorze, arc d'Eginhard, frontaux de Saint-Denis et de Saint-Ambroise de Milan). A l'époque romane, la figure du Christ des absides et des portails est le plus souvent assise et se caractérise même par son immobilité au

14. A ce propos, voir G.C. PICARD, *Les trophées romains,* p. 507.

15. Voir plus haut, n. 7.

16. Voir TOLSTOI, t. I, pl. V, 42-47 (Théodose II), pl. XVI, 2-102 (Justin Ier), pl. XVIII et XIX (Justinien Ier).

17. Voir GRABAR, *L'empereur,* p. 196-198. Sur l'étiquette byzantine des audiences impériales, voir par exemple *De cerim.* II, 47, éd. de Bonn, p. 682 : Πῶς ἔχει ὁ μέγας καὶ ὑψηλὸς βασιλεὺς ὁ ἐπὶ χρυσοῦ καθεζόμενος θρόνου.

milieu d'une composition mouvementée dont elle est le centre impassible (absides de Montoire ou de Tahull, chœur de Notre-Dame-la-Grande de Poitiers, portails de Cluny, de Moissac, de Vézelay, etc.).

Les éléments « superficiels » propres au Jugement et au Christ-Juge et triomphant en Crucifié de la Première Parousie ne devraient donc pas nous abuser : le Jugement gothique s'inscrit dans la lignée des triomphes impériaux de la Basse Antiquité que l'on pourrait caractériser de cette manière : la manifestation *publique* d'un souverain *semper victor,* entouré de sa cour et d'officiers portant des *signa,* à l'ensemble des peuples de l'univers connu, les uns étant rangés parmi ses « amis », les autres parmi ses adversaires. Et c'est d'ailleurs dans la mesure où ce triomphe universel est rendu public, et donc situé à la fin des temps, que le Jugement a pu se développer. Dans le contexte paradisiaque qui est celui des absides romaines ou ravennates, la présence des damnés et des démons, l'ostentation des *signa* et des plaies, c'est-à-dire la superposition du Fils de l'homme et du Crucifié, ne se concevraient pas et seraient même illogiques. Le Jugement, le Jugement gothique en particulier, est donc bien une image du triomphe représenté en quelque sorte sur la place publique, à la face du monde et de l'histoire, et non pas une vision palatine et paradisiaque, réservée à des privilégiés, à des amis du souverain. Ceci explique d'ailleurs son aspect moralisateur, anecdotique, et l'abondance des détails narratifs, puisqu'il s'agit de convaincre et de prouver, et non plus de dévoiler ce dont les justes ou les amis sont déjà persuadés.

Sous ce dernier aspect, la Seconde Parousie de ce quatrième type est donc le synonyme, l'équivalent exact des autres versions analysées plus haut. Elle dérive du même répertoire et a suivi la même évolution.

On pourrait alors se demander pour quelle raison ce dernier type a été choisi si souvent, de préférence aux autres qui parallèlement continuent à être utilisés, notamment en Italie, pour le premier type : celui du Christ dominant la croix. La réponse est peut-être dans le cadre architectural. Comme l'époque gothique fait une place de plus en plus grande aux déroulements du Jugement, en insistant beaucoup sur les peines de l'enfer et les félicités célestes, il ne reste que peu de place au sommet du tympan pour la Vision de Matthieu proprement dite. Le choix d'une image du premier ou du second type nécessitant l'emploi d'au moins deux registres (cf. le portail principal du croisillon sud de Chartres), on a donc préféré cette dernière solution, qui avait en outre le mérite de mettre suffisamment en évidence l'ostentation des *signa* aux mains des anges et de permettre au Christ de montrer ses blessures. Une nouvelle habitude, une tradition nouvelle s'étant ainsi créée, c'est cette image qui finalement l'a emporté, alors que le cadre architectural ne l'imposait pas nécessairement.

Ce travail n'étant pas une étude exhaustive des monuments de ce type consacrés à la Vision de Matthieu, je ne choisirai que quelques exemples significatifs.

Celui du porche de Saint-Savin est particulièrement intéressant, car il décore le tympan de la porte principale de l'église et met fin à un cycle inspiré de l'Apocalypse de Jean. Le Christ trônant, bras étendus horizontalement comme à Beaulieu et à Saint-Denis, est enfermé dans une auréole lumineuse parfaitement ronde et décorée d'un motif festonné, nuées ou flammèches. Dans les deux écoinçons laissés libres sont figurés des anges, dont l'un, à gauche et au premier plan, présente une grande croix triomphale. Le Christ ne montre pas ses plaies, et la présence d'autres instruments ne semble pas assurée. De même, il n'est pas fait allusion au Jugement, mais six apôtres trônant dans un décor paradisiaque et douze anges prosternés vers le sol complètent l'apparition sur l'intrados de l'arc d'encadrement. A l'extrémité du tympan, saint Jean (ou saint Matthieu) assiste à une apparition de caractère triomphal [18] [fig. 105].

La Vision de Matthieu de la contre-abside de l'église Saint-Georges de Reichenau-Oberzell, qui est peut-être postérieure au décor de Saint-Savin [19], présente un stade iconographique plus avancé : le Christ trônant entre les bustes du soleil et de la lune, flanc droit découvert (comme à Burgfelden, vers 1100, et au fol. 2v du Brit. Mus., Cotton Ms. Galba A. XVIII, addition anglaise, du milieu du Xe siècle, du *Psautier d'Athelstan*) et présentant ses paumes percées, est enfermé dans une mandorle lumineuse et gemmée dont la base se détache sur un fond de nuages. Il est

18. I. YOSHIKAWA, *L'Apocalypse de Saint-Savin,* Paris, 1939 ; P. DESCHAMPS et M. THIBOUT, *La peinture murale en France,* Paris, 1951, p. 80 et suiv. et O. DEMUS, *Romanische Malerei,* München, 1968, p. 143.

19. J. SAUER, *Die Monumentalmalerei der Reichenau,* dans *Die Kultur der Abtei Reichenau,* t. II, München, 1925. Voir également C. LAMY-LASALLE, *The painting of the western apse in St. George's church of Oberzell,* dans *Gazette des beaux-arts,* 6e série, t. XXXI, Paris, 1947, p. 15 et suiv.

flanqué à gauche de la Vierge, et à droite d'un ange qui présente une grande croix faite de deux troncs sommairement ébranchés, ce qui semble être une allusion au gibet du Golgotha. Les douze apôtres assis sur des banquettes, regard tourné vers la vision, sont alignés au registre inférieur, au-dessous de quatre anges volant horizontalement. Deux d'entre eux sonnent de la trompe, un autre présente les clous, le quatrième le roseau. Dans une niche juste au-dessous du Christ, une Crucifixion sépare en deux groupes les morts qui ressuscitent en acclamant le Fils de l'homme[20] [fig. 106].

Le sens de cette association est évident : après avoir été figuré crucifié, le Fils de l'homme est montré dans sa gloire ; les plaies et la croix étant davantage des preuves de la rédemption et de l'identité de Jésus et du Fils de l'homme, que des signes de dévotion, comme ce sera le cas, très souvent, à l'époque gothique tardive.

Au début de l'art gothique, ce même type, analysé plus haut dans quelques-unes de ses traductions monumentales, apparaît également dans d'autres contextes, sans que le Jugement proprement dit soit développé. Tel est le cas pour deux monuments importants que je choisirai parmi d'autres : le fol. 33r du *Psautier d'Ingeburge* (Chantilly, Musée Condé, ms 1695) et le Vitrail de la Passion de la cathédrale du Mans (chapelle axiale, baie A 1, vers 1230-1240).

La Vision de Matthieu du Psautier de Chantilly est divisée en deux registres. Au sommet de la page, le Christ trônant apparaissant sur les nuées, les yeux fixés devant lui, est représenté strictement de face, flanc droit découvert et montrant ses plaies. A sa droite, un ange de profil, les yeux tournés vers le Fils de l'homme et les mains recouvertes par un pli de sa robe, présente la lance et les clous. L'ange qui est à sa gauche et qui présente la croix et la couronne a toutefois gardé ses mains nues. Le registre inférieur est consacré à la Résurrection des morts entre deux anges sonnant de la trompette au-dessus des tombeaux [fig. 108].

M. F. Deuchler, qui vient de publier une étude détaillée de ce manuscrit, a rapproché cette image de la Seconde Parousie d'un triptyque reliquaire mosan de la seconde partie du XIIe siècle, aujourd'hui aux Cloisters, où les deux anges porteurs des *signa* sont désignés par les inscriptions, *Veritas* et *Judicium.* La comparaison est valable et même judicieuse, d'autant que des caractères stylistiques communs se retrouvent sur ces deux monuments ; mais je préfère pour ma part la classification typologique que j'ai adoptée au chap. I, Exc. I, p. 29 et suiv., en rangeant ainsi ce dernier objet parmi les exemples du premier type : buste ou Christ trônant au-dessus d'une croix (ici, une parcelle de la Vraie Croix dans une cavité rectangulaire) flanquée ou présentée par deux anges (cf. plus haut, p. 29 et suiv.), une contamination entre des types voisins et surtout synonymes étant naturellement possible, sinon inévitable[21].

La Seconde Parousie du vitrail typologique de la cathédrale du Mans, tout comme celle du *Psautier d'Ingeburge,* met fin à un cycle christologique, sans que le Jugement — la séparation proprement dite — soit figuré. Elle occupe le quatre-feuille supérieur de la baie où elle domine le Portement de la croix, la Crucifixion et la Résurrection avec un Christ triomphant, croix à longue hampe dans la main droite, debout et strictement de face au-dessus du tombeau. Dans la représentation de la Seconde Parousie, la division en registres a été respectée. Au centre, le Christ trônant, flanc droit découvert et bras abaissés, montre ses plaies. Il est flanqué de deux anges représentés de trois-quarts, presque de face, dont l'un, à sa droite, présente la lance et les clous de ses mains nues ; l'autre, à sa gauche, la croix et la couronne. La Résurrection des morts inscrite dans deux écoinçons complète l'image, immédiatement au-dessous des deux anges portant les « instruments »[22]. Dans la

20. Dans un registre différent, mais comparable, je me demande s'il ne serait pas possible de comparer ce binôme médiéval, Christ-Fils de l'homme triomphant (dans la Seconde Parousie) + Christ-Serviteur souffrant de la Passion, à un autre binôme paléochrétien où ces deux idées sont également suggérées, quoique en termes voilés et en dehors de toute représentation historique précise. Je pense notamment à des compositions romaines décorant surtout des absides et des sarcophages (mais aussi des fonds de verre dorés, des coffrets ou des plaques de marbres), où l'on voit une image du Christ victorieux (trônant ou debout), et au-dessous, une image de l'Agneau apocalyptique. Dans leur totalité (Christ triomphant + Agneau), ces images semblent en effet se référer à *Ap.* V et à sa vision de l'Agneau égorgé (qui n'apparaît blessé qu'à partir de l'époque carolingienne) intronisé par l'Anonyme. Dans l'esprit de saint Jean, il semble bien que l'Anonyme désignait le Père, le *pantocrator* invisible ou indicible, l'Agneau intronisé étant alors assimilé au Fils, au Christ ressuscité et vainqueur de la mort, mais dans la mesure où dès saint Irénée il fut communément admis que l'Anonyme était le Christ de l'intemporalité, de l'eschatologie réalisée, il était possible par une double image du Christ et de l'Agneau de signifier conjointement la gloire, la toute puissance du Fils et son sacrifice rédempteur à l'occasion de l'Incarnation.
Sur la signification de ce binôme et sur sa survivance à l'époque médiévale, cf. G. BANDMANN, *Ein Fassadenprogramm des 12. Jahrhunderts und seine Stellung in der christlichen Ikonographie,* dans *Das Münster,* t. V, 1-2, München, 1952, p. 1 et suiv. ; et A. GRABAR, *Christian iconography, a study of its origins,* Princeton, 1968, p. 135 et suiv.

21. F. DEUCHLER, *Das Ingeborgpsalter,* Berlin, 1967, pl. XXIX, 37, p. 64-65.

composition de ce vitrail, l'apparition du Fils de l'homme en Crucifié triomphant de la Seconde Parousie est donc liée à la Crucifixion et au triomphe sur la mort de la Première.

C'est dans des images de Seconde Parousie où la séparation proprement dite et les intercesseurs sont absents, que l'on peut vraiment juger des origines de ce type. Sur d'autres monuments, plus riches et plus complexes, l'apparition de thèmes secondaires, comme la Déisis, brouille en effet les pistes, car il arrive souvent que les intercesseurs, devenus plus importants que les porteurs de *signa,* modifient radicalement le type primitif sur lequel ils se sont greffés.

Tel est le cas par exemple sur le tympan de Notre-Dame de la Couture du Mans, élégant monument de la seconde partie du XIIIe siècle [23]. Le Christ trônant en position strictement frontale montre ses plaies. La Vierge et saint Jean, de profil, sont agenouillés à ses côtés, de même que les deux anges portant les « instruments » que l'artiste a rejeté dans les écoinçons du tympan.

Cette désintégration du schéma primitif, non encore indiquée au portail de Notre-Dame de Paris, se retrouve ailleurs, notamment à Amiens et Bourges, mais elle n'apparaît pas à Paris, à Poitiers ou à Bordeaux, les deux anges porteurs de *signa* ayant simplement troqué leur long sceptre antique pour les instruments de la Passion [24]. La Vierge et saint Jean, figures supplémentaires, ont naturellement trouvé place à leurs côtés, sous les retombées de la première voussure.

Nous avons rapproché plus haut cette « garde angélique » autour du Christ trônant de représentations monarchiques de la Basse Antiquité montrant l'empereur trônant, entouré de soldats de sa garde « germanique », debout à ses côtés et présentant ses armes, en particulier son bouclier orné ou non du chrisme [25]. Ce rapprochement reste valable et revêt même une plus grande vraisemblance si l'on compare le noyau central, théophanique, d'une Seconde Parousie comme celle de Paris, à d'autres images monarchiques bâties sur le même schéma et à partir des mêmes « modèles » : celles des empereurs carolingiens et ottoniens. L'empereur trônant sur un haut siège à escabeau est en effet régulièrement flanqué de deux officiers supérieurs dont l'un présente le glaive, l'autre la lance et le bouclier du souverain. Tel est le cas, par exemple, pour une image de Lothaire (Paris, B.N. lat. 266, fol. 1v), de Charles le Chauve de la *Bible de Vivien* (Paris, B.N. lat. 1, fol. 423r), du *Codex aureus de Saint-Emmeran de Ratisbonne* (Munich, Staatsbibl. Clm 14.000, fol. 5v), de Salomon dans la *Bible de Saint-Paul-hors-les-Murs* (fol. 185v), de Henri II (Munich, Staatsbibl., Clm. 4.456, fol. 11v), etc. [26] [fig. 91, 92, 97-100].

Quant au geste du Christ montrant ses plaies, bras tournés vers le sol et avant-bras levés, je me demande s'il ne serait pas possible de le rapprocher, plutôt que de l'attitude de l'orant, d'une autre série de représentations monarchiques, illustrée, entre autres exemples, par des sceaux royaux ou impériaux, du début de l'époque ottonienne à la fin du XIIe siècle [27]. C'est du moins de cette façon que l'empereur présente solennellement les insignes de son pouvoir universel, le sceptre et la boule surmontée de la croix. Parallèlement, cette attitude royale est également prêtée au Christ *rex regum dns dominantium* et présentant le globe de l'*antependium* de Bâle au Musée de Cluny [28] ou du reliquaire de Charlemagne (vers 1166-1173) du Musée du Louvre [29], pour ne citer que ces quelques exemples.

A l'arrière-plan des Visions de Matthieu de ce quatrième type, nous aurions donc à nouveau, comme pour les autres versions, un schéma impérial bien défini, où le thème du Fils de l'homme triomphant est intimement mêlé à celui du Serviteur souffrant de la Passion [30].

22. Cf. L. GRODECKI, *Les vitraux de la cathédrale du Mans,* dans *Congrès archéologiques de France,* t. CXIX, Paris, 1961, p. 80.
23. *Ibid.*, p. 132-133, notice de F. SALET.
24. W. SAUERLAENDER, *Gotische Sculptur,* pl. 145-150.
25. Voir plus haut, p. 61, n. 10.
26. Sur tous ces exemples, voir P.E. SCHRAMM, *Die deutschen Könige und Kaiser in Bildern ihrer Zeit (751-1.151),* Berlin, 1928.
27. *Ibid.*, pl. 59, c (Otton Ier), 63, c (Otton II), 68, e (Otton III), 79, b-c (Henri II), 94, a-c (Conrad II), 103, a-b et 104, c (Henri III), 108, a-d (Henri IV), 126, a-b (Lotaire III), etc.
28. P.E. SCHRAMM et F. MUETHERICH, *Denkmale der deutschen Kaiser und Könige,* München, 1962, pl. 138.
29. *Ibid.*, pl. 176.
30. Sur ce sujet, voir plus bas, chap. V, p. 81 et suiv.
Je n'ai pas consacré de notice particulière à une variante de ce dernier type où les anges porteurs de *signa* sont figurés non pas debout de part et d'autre du Christ, mais volant dans le ciel (voir par exemple le Jugement dernier de la façade occidentale de la cathédrale de Laon, ou celui de Michel-Ange pour la Chapelle Sixtine). Cette variante, naturellement plus proche de l'*Adventus* céleste de *Matth.* XXIV-XXV, se rencontre fréquemment, surtout à la fin de l'époque gothique et à la Renaissance, mais elle est synonyme des versions étudiées dans ce dernier chapitre. Elle représente tout au plus un essai de mieux adapter au récit de Matthieu des formules anciennes déjà fixées et c'est pourquoi je ne lui ai pas accordée une attention particulière, d'autant que cette disposition n'est peut-être que le fruit d'une contamination entre l'ostentation des *signa* du deuxième type (voir plus haut, chap. II) et celle qui vient d'être évoquée dans ce dernier chapitre.

EXCURSUS I

AP. IV-V ; XX, 11-15 ET *MATTH.* XXIV-XXV

Au cours des précédents chapitres, nous avons pu remarquer, très souvent, d'étroites associations entre des éléments iconographiques issus ou rapprochés de *Matth.* XXIV-XXV et d'*Ap.* IV-V et XX, 11-15, pour ne citer que ces quelques passages. Il arrive en effet fréquemment qu'une vision de Matthieu soit complétée par des allusions à la vision de saint Jean (par exemple les quatre animaux du Jugement dernier de la chaire du baptistère de Pise, les vingt-quatre Vieillards du portail de Saint-Denis, etc.) ou, inversement, qu'une vision du Christ trônant selon *Ap.* IV introduise un Jugement se référant directement à *Matth.* XXV (voir par exemple le portail et les piédroits de Saint-Trophime à Arles ou de Saint-Michel d'Estella). Dans d'autres cas enfin, par exemple le *De fide catholica rythmus* de Raban Maur, *Matth.* XXIV-XXV et *Ap.* IV-V sont étroitement mêlés, au point qu'il est possible d'admettre que dans l'esprit des clercs et des iconographes ces quelques textes sont synonymes ou pour le moins complémentaires.

Il n'est pourtant jamais question du Jugement en *Ap.* IV-V, celui-ci étant rejeté en *Ap.* XX, 11-15, entre l'ouverture des sceaux, les cataclysmes qui s'ensuivent, le règne de mille ans et la révélation finale de la Jérusalem céleste. Cela signifie donc que la vision théophanique a-historique qui synthétise ces deux chapitres s'est trouvée déplacée, d'un bloc, en *Ap.* XX, 11, afin d'y recouvrir les quelques versets peu explicites désignant cette fois-ci le Christ-Juge : *et vidi thronum magnum candidum et sedentem super eum...* Le même transfert s'est d'ailleurs produit pour d'autres apparitions théophaniques jugées sans doute équivalentes : la Parousie dans les nuées d'*Ap.* I, 7-8 ; la vision du Fils de l'homme d'*Ap.* I, 12-18, celle de l'Agneau et des élus d'*Ap.* XIV, 1-3, ainsi que pour des éléments iconographiques attachés aux révélations précédentes : l'A et l'Ω, les sept candélabres, l'épée à double tranchant, etc.

Transposé en *Ap.* XX, 11, et en cet endroit seulement, il est évident que le Christ trônant entre les Vivants et les Vieillards d'*Ap.* IV, 2-9 est le Juge apocalyptique, le Fils de l'homme trônant de *Matth.* XXV, 31. Il est toutefois nécessaire de souligner nettement que cette nouvelle interprétation repose en fait sur une recomposition, sur une relecture et une altération du texte, et non pas sur une analyse précise d'*Ap.* IV-V.

Au Moyen Age, étant donné que cette image se trouve explicitée par des éléments périphériques ne prêtant pas à confusion, nous pouvons être assurés — et la lecture du *De fide catholica rythmus* de Raban Maur nous le confirme — de cette transposition d'*Ap.* IV-V en *Ap.* XX, 11, de ce glissement de l'eschatologie présente à l'eschatologie apocalyptique future. Pour l'époque paléochrétienne, en revanche, en l'absence de signes complémentaires précis, nous ne sommes plus autorisés à solliciter la même interprétation.

Il reste cependant que l'iconographie monumentale post-carolingienne ne conçoit guère *Ap.* IV-V indépendamment d'*Ap.* XX, 11-15 et de *Matth.* XXIV-XXV, l'*Apocalypse* de Jean étant alors transposée presque tout entière dans le registre « historique » de la Seconde Parousie. La *Majestas Domini,* en tant qu'image de la gloire céleste, est naturellement restée une vision surnaturelle, mais c'est par le détour d'une vision de la fin des temps qu'est révélée, *facie ad faciem,* la gloire présente du Christ.

Peut-on alors imaginer, pour l'art paléochrétien, un mouvement inverse, c'est-à-dire une vision de la fin des temps (mais réduite au seul Juge) dans les catégories a-historiques d'*Ap.* IV-V ? Une interprétation de ce genre est évidemment possible, mais dans la mesure où la fin des temps n'est pas signifiée, il est difficile de conclure à une ellipse volontaire, car ce serait admettre que ce que l'on tait, dans une adside ou sur un arc triomphal, est plus important, et plus déterminant, que ce qui est signifié clairement la gloire paradisiaque, ce qui existe déjà — ἅ εἰσίν — au-dessus, dans, ou au-delà de l'histoire [1]. La Seconde Parousie de l'arc triomphal de Saint-Michel in Affricisco de Ravenne montre d'ailleurs suffisamment que l'art paléochrétien s'il le voulait était capable de signifier l'eschatologie future autrement que par une ellipse. Qu'il ne l'ait fait que si rarement devrait donc nous interdire des interprétations que les images ne suggèrent pas d'elles-mêmes, en termes clairs et décisifs.

1. On observe même, au contraire, comme le soulignait déjà F. van der MEER (*Majestas Domini,* p. 83) un glissement fort significatif d'*Ap.* V, 1-14 en *Ap.* IV, 4-11, l'adoration de l'Agneau, avec l'idée de rédemption et l'insertion dans l'histoire qu'elle implique, étant alors transposée en *Ap.* IV, 4-11, dans un registre totalement intemporel où se célèbre « une liturgie hors du temps et des lieux devant le trône de l'Anonyme ». Cela vaut également pour *Ap.* I, 7 et XIV, 1-5, pour la théophanie dans les nuées, l'adoration de l'Agneau par les élus, pour l'image de l'Agneau sur la montagne et en général pour toute apparition théophanique, voilée ou non, quel que soit son contexte.

Sur l'interprétation des visions de l'Apocalypse, voir notamment T. HOLTZ, *Die Christologie der Apokalypse des Johannes,* et J. COMBLIN, *Le Christ dans l'Apocalypse,* Paris, 1965, auquel j'emprunte cette citation : « Le royaume de Dieu et l'investiture du Messie sont anticipés. Leur achèvement s'accomplira dans la Jérusalem céleste, mais la nouvelle Jérusalem connaît déjà une anticipation. Le royaume de Dieu existe déjà, encore qu'imparfaitement. Il est constitué par les témoins. Les âmes des témoins de Jésus Christ en constituent les éléments, et l'Église qui lutte sur la terre pour témoigner au milieu des persécuteurs y participe elle aussi. Dans ce royaume, Jésus Christ a été intronisé et il règne depuis sa Résurrection. La nouvelle Jérusalem céleste ne lui apportera rien de nouveau, elle l'unira d'une manière plus totale à un royaume plus parfait. Quant à la venue du Fils de l'homme pour illuminer et juger les nations, elle est anticipée elle aussi. Le Fils de l'homme viendra juger à la fin du monde, mais il vient déjà dès maintenant, et le premier avatar de sa venue fut sa vie terrestre avec son témoignage à Jérusalem par la victoire de sa Passion » (p. 13).

L'interprétation, dans le sens d'une eschatologie réalisée ou se réalisant, des premiers chapitres de l'Apocalypse et des images paléochrétiennes qui s'y réfèrent semble se justifier aisément étant donné qu'on n'y trouve que très rarement des allusions même indirectes aux cataclysmes et au Jugement de la fin des temps.

EXCURSUS II

LES APÔTRES TRÔNANT AUTOUR DU CHRIST ET *MATTH.* XIX, 28

Le Jugement dernier byzantin, image complexe dont la formule iconographique paraît pourtant être fixée, du moins dans ses lignes essentielles, dès la première moitié du XIe siècle au moins [1], revêt naturellement divers aspects d'un monument à l'autre. Une chose pourtant ne varie guère ou se répète souvent : la disposition du collège judiciaire proprement dit, qui comprend une garde angélique et des apôtres trônant au milieu desquels préside le Christ généralement inscrit dans une « mandorle » (voir par exemple, Paris B.N. grec 74, fol. 51v et 93v, ivoire n° A. 24-1926, Victoria and Albert Museum, Panagia Chalcheon de Salonique, Torcello, Neredica, etc.) [2]. Deux types, par ailleurs voisins, sont utilisés. Dans les deux cas, le Christ trônant est entouré d'apôtres eux-mêmes assis qui siègent à ses côtés, sur deux bancs plutôt que sur douze trônes séparés. Derrière eux, et souvent même autour du Christ, des anges sceptrigères, debout, nimbés, figurés à mi-corps ou dont on ne voit que le buste, forment une garde d'honneur. Il arrive également que ce groupe qui est généralement figuré sur deux rangs bien alignés s'incurve légèrement dans sa partie médiane de manière à donner l'impression que c'est un hémicycle et ses murs latéraux qui servent de cadre à la composition. La ligne de crête que dessinent les têtes des anges s'arrondit alors autour du Christ en formant une demi-couronne (voir en particulier le collège judiciaire de la Panagia Chalcheon de Salonique, monument sur lequel nous reviendrons plus bas) [fig. 111-112].

Cette disposition hiératique est peu fréquente avant le XIe siècle. On notera pourtant qu'elle apparaît déjà au IXe siècle, en Occident, sur deux miniatures représentant des conciles du codex CLXV de Vercelli [3] et sur le mur ouest de l'église de Münster. Toutefois, pour ces deux derniers monuments, la garde angélique fait totalement défaut au-dessus des Pères conciliaires et des apôtres, et se réduit à une demi couronne d'anges ou de soldats autour du Christ ou de l'empereur. On la rencontre également sur des sarcophages paléochrétiens, en particulier sur un sarcophage du Louvre (provenant de Rignieux-le-Franc) et sur celui de « Concordius » du Musée d'art chrétien à Arles. Derrière et au-dessus des apôtres trônant autour du Christ, on aperçoit en effet quelques têtes en méplat appartenant à des personnages debout, cachés par les apôtres. La « garde angélique » fait cette fois-ci défaut derrière le Christ [4] [fig. 113, 115].

Tout à fait comparable à celle que nous évoquions plus haut à propos des Jugements byzantins, cette disposition est en revanche bien attestée entre la fin du IVe siècle et le début du VIe siècle sur deux monuments profanes, d'une part sur les quatre faces de la base de l'obélisque de Théodose Ier à Constantinople, d'autre part sur une série de miniatures de l'*Ilias Ambrosiana.*

Trônant en compagnie de ses fils dans la tribune ou *kathisma* du cirque, l'empereur est accompagné,

1. A ce sujet, voir B. BRENK, *Tradition und Neuerung,* p. 79 et suiv.

2. Sur ces images et d'autres exemples semblables, voir B. BRENK, *Tradition und Neuerung,* et D. MILOSEVIC, *Das Jüngste Gericht,* Recklinghausen, 1963.

3. A ce propos, voir C. WALTER, *Les dessins carolingiens dans un manuscrit de Verceil,* dans *Cahiers Archéologiques,* t. XVIII, Paris, 1968, p. 99 et suiv.

4. Autour du Christ trônant du diptyque de Ravenne, ainsi d'ailleurs que de part et d'autre de certains consuls et de Théodose Ier de l'obélisque de Constantinople, on remarque comme une version abrégée de cette « garde d'honneur » sous forme de deux jeunes gens ou de deux soldats debout derrière celui qui est assis. On les retrouve d'ailleurs régulièrement par la suite en anges on en archanges, debout de part et d'autre du Christ intronisé. La présence d'anges derrière les apôtres est par ailleurs attestée dans le narthex de Saint-Étienne de Kastoria, premier monument byzantin conservé, consacré au Jugement dernier. Leur position, à mi-corps entre chaque apôtre, et non pas au-dessus d'eux comme ce sera le cas par la suite, est sur ce point comparable à celle des personnages non identifiés des sarcophages d'Arles et de Paris (sur Saint-Étienne de Kastoria, voir B. BRENK, *Tradition und Neuerung,* pl. 20-21, p. 80-83).

à sa droite et à gauche, de deux registres superposés de personnages debout, *en haut,* des soldats de sa garde, *en bas,* de hauts dignitaires en chlamyde ou en toge. Les fonctionnaires sont figurés à mi-corps ; les soldats, cachés derrière leur bouclier et les personnages du premier plan, en buste, comme les anges des Jugements byzantins [5] [fig. 116-117].

Les analogies avec l'art byzantin médiéval sont encore plus nettes sur une série de miniatures de l'Iliade ambrosienne figurant l'assemblée des chefs grecs autour d'Agamemnon. Le prince d'Argos et les autres rois grecs ses égaux trônent ensemble sur un siège de parade hémicirculaire. Ils sont entourés, à droite, à gauche et au-dessus d'eux, par des soldats en armes, debout et de plus petite taille. Sur certaines images (en particulier Min. I, II et III), ils dessinent même autour des chefs comme une demi couronne de têtes, de lances et de boucliers, ceux-ci étant placés, comme sur le monument de Théodose, derrière la tête des personnages du premier plan, figurés au-dessous [6]. Les analogies de composition sont particulièrement frappantes entre les Min. I, II et III de ce manuscrit et l'assemblée du Christ et des Apôtres du Jugement dernier de Salonique. Même disposition en hémicycle, même couronne de soldats ou d'anges au-dessus de ceux qui trônent ! [fig. 118-120].

Ce schéma de composition, d'origine impériale quasi certaine, fut également appliqué à l'iconographie des conciles, dans un manuscrit carolingien (vers 830) de la Bibliothèque capitulaire de Vercelli. L'empereur qui le préside (Constantin Ier ou Théodose II) siège sur un haut trône de parade, avec *suppedaneum,* mais sans dossier. Il est entouré d'une couronne de soldats, debout derrière lui, et accompagné de dignitaires religieux, des évêques, qui à la différence des fonctionnaires de Théodose Ier siègent également en sa présence (voir en particulier les fol. 2v, 3v et 4r) [7]. A ce propos, on comparera plus spécialement le fol. 2v du manuscrit de Verceil (Constantin au concile de Nicée Ier) à la face nord-oues de la base de l'obélisque de Constantinople. Au registre inférieur de ces deux monuments, qui bien qu'éloignés dans le temps et l'espace sont cependant issus du même répertoire, on retrouve en effet des éléments communs, d'une part des vaincus à genoux venant faire des offrandes ; d'autre part, des hérétiques, eux aussi vaincus, jetant au feu leurs ouvrages condamnés. Leur disposition, en deux groupes se faisant face au pied de l'empereur, est exactement la même [fig. 113 et 117].

La confrontation de ces divers monuments, sculptés ou peints, nous amène ainsi, tout naturellement, aux remarques suivantes. Tous, tant byzantins, carolingiens que paléochrétiens, appartiennent au même répertoire iconographique. De même que l'assemblée des chefs de l'*Ilias Ambrosiana* ou que les images des conciles de Vercelli, l'assemblée du Christ, des anges et des apôtres des Jugements byzantins apparaît comme une adaptation d'un schéma impérial, peut-être théodosien sous cet aspect hiératique, destiné à célébrer le triomphe public des souverains dans le cirque. Le Christ a pris la place de l'empereur ; les apôtres, celle des hauts dignitaires ou des Pères conciliaires ; les anges, celle des soldats. Quant aux hommes qui vont comparaître pour être jugés ou confirmés dans leur qualité d'élus, on les comparera aux amis et aux ennemis de l'empereur qui participent à son triomphe public. Le sens général de cette composition paraît également clair. Dans tous les cas, il s'agit de la manifestation du pouvoir, lequel peut être partagé entre égaux (tel est le cas des miniatures de l'Iliade de Milan) ou accordé en partie à des associés de rang inférieur (les fils de Théodose, les évêques ou les apôtres). Le Jugement proprement dit est accessoire, circonstanciel.

On peut alors se demander si une transposition semblable ne s'est pas également produite en Occident. Dans le cas plus précis des images des conciles du ms CLXV de Verceil (fol. 2v, 3v et 4r, 4v), cela paraît certain, mais il convient peut-être de supposer un modèle byzantin à l'arrière-plan de leur exécution. Pour ce qui touche à la partie centrale du Jugement dernier de Münster, cela est également possible, mais je serai sur ce point plus nuancé que M. B. Brenk, qui, frappé par des similitudes de composition entre cette dernière image et le Jugement dernier de la Panagia Chalcheon, a vu dans le Jugement de Münster une interprétation occidentale, du début du IXe siècle, d'un modèle byzantin de la fin ou du milieu

5. Sur ce monument, voir G. BRUNS, *Der Obelisk und seine Basis auf dem Hippodrom zu Konstantinopel,* Istanbul, 1935.

6. Autant que l'édition récente de ce manuscrit (*ILIAS AMBROSIANA* (*Fontes Ambrosiani XXVIII*), Berne-Olten, 1953), on consultera pour des commodités de lecture les gravures de Mai (*Homeri et Vergilii picturae antiquae,* Rome, 1835) jointes à l'ouvrage de R. BIANCHI-BANDINELLI, *Hellenistic byzantine miniatures of the Iliad,* Olten, 1965, p. 53 et suiv.

7. A ce sujet, voir C. WALTER, ouvrage cité n. 3. On retrouve également cette même couronne d'anges sur un fragment de Seconde Parousie (?) de la collégiale Saint-Ours d'Aoste (fin du Xe siècle ?).

du VIIIe siècle [8]. Dans presque tous les cas, en iconographie byzantine (voir notamment le Jugement de Salonique), la garde angélique, qui peut manquer au-dessus du Christ, se poursuit au-dessus des apôtres, et cela n'apparaît pas à Münster où les apôtres sont simplement inscrits sous des arcades. La datation du décor de Münster, d'autre part, est loin d'être assurée et si, pour le style, il s'apparente davantage aux productions de l'Italie du Nord, pour l'iconographie, il convient de le rapprocher autant du nord des Alpes (en particulier dans l'abside, Christ dans une « mandorle » au milieu des quatre animaux ; et sur le mur ouest, croix (?) et Résurrection des morts au-dessus du Christ-Juge comme dans les *Carmina Sangallensia*) que de l'Italie du nord (en particulier la couronne d'anges autour du Christ qui est comparable à celles des soldats du manuscrit de Vercelli).

Un modèle byzantin, évidemment réinterprété, serait en revanche plus plausible à l'arrière-plan des fol. 53r de l'*Apocalypse de Bamberg* et 202r du *Livre de Péricopes de Henri II.* Toutefois, le monument qu'il convient de rapprocher immédiatement de ces deux dernières images du Jugement, le soubassement de Théodose, est encore paléochrétien ou protobyzantin. Comme sur ces bas-reliefs, le Christ trônant (en lieu et place de l'empereur) occupe le centre du registre supérieur, en haut, entre deux registres superposés d'anges à mi-corps et d'apôtres (de soldats et de dignitaires).

Sur ce point, le schéma de composition est donc semblable, et c'est sans aucun doute à des monuments impériaux semblables à celui-ci qu'il faut rattacher ces deux miniatures ottoniennes. Mais que l'art byzantin post-iconoclaste ait servi de relai demeure une simple hypothèse, il est vrai très plausible, qui ne devrait pas repousser dans l'ombre celle d'un recours plus direct aux monuments paléochrétiens du cycle impérial.

En Occident, en effet, le groupe des anges (debout ou volant, mais très rarement représentés en buste ou à mi-corps comme dans l'art byzantin médiéval) occupe presque toujours le registre supérieur, les apôtres trônant étant rejetés au-dessous (voir par exemple le Jugement de la *Bible de Farfa,* celui de Sant'Angelo in Formis, celui de la cath. de Laon, de la chapelle de l'Arena à Padoue, etc.). A ce petit détail près (anges en pied plutôt qu'en buste), cette disposition est comparable à celle que nous évoquions plus haut à propos des monuments impériaux (soldats au-dessus des fonctionnaires). Le rapprochement reste donc valable, mais il convient de le nuancer en faisant intervenir d'autres catégories typologiques, en particulier celles qui définissent les compositions hiérarchiques des images et monuments de caractère cosmique. Mais en ce cas (Seconde Parousie du Cosmas du Vatican, Jugement dernier du Paris, B.N. grec 923, coupole de Saint-Georges de Salonique, Saint-Zénon auprès de Sainte-Praxède de Rome) le Christ occupe le sommet de la composition et n'est pas dominé par des anges. L'arrière-plan impérial devrait donc être maintenu, même si les analogies ne sont plus aussi évidentes qu'entre la face nord-ouest de l'obélisque de Théodose et les Jugements ottoniens des Bibliothèques de Bamberg et de Munich, qu'entre les Min. I, II et III de l'*Ilias Ambrosiana* et le Jugement de la Panagia Chalcheon de Salonique.

Dans ces conditions, quel est le sens qu'il faut attribuer, à l'origine, à l'attitude des apôtres trônant autour du Christ ? Dans son ouvrage sur l'iconographie de l'empereur byzantin, M. A. Grabar avait judicieusement rapproché les images de ce type, ou du moins celles d'entre elles qui n'appartiennent pas au groupe des philosophes assis autour du maître, d'une décision extaprotocolaire de Constantin Ier autorisant les évêques, successeurs des apôtres, à rester assis en sa présence dans la salle du concile de Nicée [9]. A cette explication protocolaire, tirée d'Eusèbe (*Vita,* III, 10) et confirmée, il est vrai tardivement, par les miniatures du codex CLXV de Vercelli et ce texte de Paschase Radbert (*sedebitis et vos, inquit, super tronos, ut totam depingeret senatoriam dignitatem*) (*PL* 120, *in Matth.* XIX, 28, col. 670), Mme C. Ihm qui après d'autres est revenue sur la question, en préfère une autre, scripturaire, tirée de *Matth.* XIX, 28 : *Amen dico vobis, quod vos, qui secuti estis me, in regeneratione, cum sederit Filius hominis in sede majestatis suae, sedebitis et vos super tronos duodecim judicantes duodecim tribus Israel.* Son avis est généralement suivi par les historiens, de plus en plus nombreux, favorables à une interprétation deutéro-parousiaque des théophanies paléochrétiennes. Il se justifie parfaitement au Moyen Age, à propos d'un Jugement

8. *Tradition und Neuerung,* p. 111-112 et 117.

9. *L'empereur,* p. 209 (Eusèbe, *Vita,* III, 10). On notera toutefois que l'image du concile de Nicée Ier du manuscrit de Verceil s'est écartée, au bénéfice d'une tradition iconographique normale, de la relation de cet événement. Constantin, en effet, s'était rendu dans la salle du concile sans sa garde habituelle.

ou d'une Seconde Parousie, mais je doute qu'il soit encore valable pour des images paléochrétiennes telles l'abside de Sainte-Pudentienne, les sarcophages de « Concordius » à Arles ou de Saint-Ambroise de Milan, où rien ne prouve que le triomphe du Christ soit rejeté à la fin des temps, dans le domaine de l'eschatologie future. Le droit de juger, comme l'a montré le Père C. Walter, n'est que l'une des prérogatives du pouvoir, de ceux qui sont assis [10] ; il ne convient donc pas d'inverser les rôles en accordant à une fonction secondaire la première et l'unique place. Ainsi que nous l'avons vu plus haut à propos des monuments impériaux ou dérivés de ceux-ci (diptyques consulaires, images des chefs grecs devant Troie ou des conciles), la position assise n'est que l'indication d'un pouvoir supérieur, qui peut être partagé entre égaux ou transmis en partie à des associés. Le droit de juger n'intervient qu'occasionnellement, et dans le cas d'une image du Christ entre les apôtres, il faut d'abord que le Christ soit désigné comme un Juge pour que ses disciples le deviennent à leur tour. C'est évidemment le cas au Moyen Age, mais il n'en n'est plus de même à l'époque paléochrétienne. Le recours à *Matth.* XIX, 28, en l'occurrence inadéquat et même hors de propos, ne s'impose donc pas, en particulier dans sa perspective deutéroparousiaque. Pas plus que les champ. XXIV, 30 et XXV, 31 pour les images étudiées aux chapitres précédents, ce dernier texte n'est donc à l'origine de l'assemblée du Christ et des apôtres trônant. Une fois encore, c'est à la faveur d'une mutation non pas formelle, mais essentiellement sémantique qu'il en a été rapproché, par analogie, l'iconographie impériale et dérivée de celle-ci servant naturellement de support.

A la faveur de cette mutation, il est évident que des modifications importantes ont été apportées au schéma primitif. A la Panagia Chalcheon, par exemple, le Christ occupe une place privilégiée qu'Agamemnon ne pouvait naturellement obtenir. La différence, sur le plan du schéma, est néanmoins secondaire et se comprend fort bien en ce cas particulier puisque le Fils de l'homme, contrairement au roi d'Argos, ne siège pas entre des « égaux », mais entre des disciples auxquels est concédé une part de ses prérogatives impériales. Cette distinction circonstancielle est d'ailleurs fort bien exprimée sur la base de l'obélisque de Théodose où l'empereur, immédiatement reconnaissable à sa plus haute taille, occupe lui aussi une place d'honneur par rapport à ses fils, la *kathisma* jouant même pour la famille régnante un rôle semblable à celle de la « mandorle » pour le Christ du Jugement de Salonique. Quant aux éléments accessoires, propres au Jugement, qui furent introduits dans la composition (Déisis, garde d'archanges et de séraphins, Adam et Ève en suppliants), ce ne sont là, à vrai dire, des nouveautés que sur le plan de la sémantique, car ils recouvrent en fait des schèmes ou des figures déjà connus du répertoire impérial, tant sous sa forme originale que sous sa forme christianisée à l'époque paléochrétienne [11].

De même que pour les quatre types triomphaux étudiés aux chapitres précédents, nous nous trouvons donc en face d'un *invariant,* tant formel que sémantique, fixé dans l'art impérial et que des modifications de détail ou circonstancielles ont revêtu de formes et de sens secondaires nouveaux. La forme et les sens secondaires nouveaux, par exemple la Seconde Parousie du Christ-Juge, ne doivent toutefois pas nous faire oublier qu'il ne s'agit là que d'une dérivation, d'une spécification particulière et circonstancielle d'un thème plus vaste : le pouvoir et le triomphe cosmique du Christ.

Quand nous parlons de *schémas,* ou de *types* impériaux repris par l'art chrétien, tant médiéval que paléochrétien, nous n'envisageons donc pas un ou des monuments précis dont l'imitation plus ou moins directe serait à l'origine de nouvelles images. Cela, évidemment, a pu se produire, mais ce n'est pas à ce genre de filiation que nous avons voulu nous arrêter. En fait, quand nous parlions de schémas, de types ou d'ensembles invariants, nous pensions moins à des monuments précis s'enchaînant les uns aux autres dans une sorte de procession génétique, qu'à des *ensembles* idéaux, abstraits, *existant* virtuellement plutôt que matériellement, dont quelques monuments

10. « Nous avons vu qu'en toute rigueur l'iconographie judiciaire n'existe pas dans l'art antique. Nous y trouvons plutôt une iconographie de l'autorité. L'explication en est simple. Le magistrat ou le gouverneur antique exerce une juridiction en fonction de son office. En tant que représentant de l'empereur, il a droit à une *sella* et à une tribune ; il y siège pour toutes ses fonctions officielles. Nous ne pourrions donc affirmer absolument que sur les images le gouverneur exerce sa juridiction, lorsqu'il n'y a pas de détails propres à un tribunal : secrétaires, accusés, etc » (*L'iconographie des conciles dans la tradition byzantine,* Paris, 1970, p. 00).

11. Voir par exemple, pour Adam et Ève en suppliant, le couple de suppliant au pied du trône du Christ du sarcophage de Saint-Ambroise de Milan ou Thétis aux pieds d'Agamemnon de la Min. IX de l'Iliade ; pour la Déisis, Achille prenant la parole, debout auprès des chefs grecs (Min. I de l'Iliade) ; ou pour les séraphins et les archanges debout de part et d'autre du Christ-Juge, les soldats qui régulièrement flanquent les empereurs trônant.

conservés nous ont fourni des exemples d'applications particulières. Ce n'est donc pas à des types pétrifiés, fixés une fois pour toute et en ce sens fossilisés par la tradition que nous nous sommes arrêtés dans ce dernier appendice et les chapitres précédents ; ce qui nous a en revanche retenu est davantage la logique d'un système de signes, sa *dynamique* et les limites dans lesquelles des transformations ont pu se produire, à quelque niveau que ce soit [12].

12. J'ai consacré à ce même sujet une étude plus longue et plus détaillée dans *Rivista di archeologia cristiana*, Mélanges FERRUA - DE BRUYNE, Rome, 1974.

N.B. — Quelques textes, choisis parmi d'autres, pourraient servir de pièces justificatives à notre refus d'assimiler tout collège apostolique au seul collège judiciaire de *Matth.* XX, 28. Ayant montré que l'aspect judiciaire de cette formule n'est qu'affaire de circonstances, je propose donc ces quelques témoignages scripturaires. A propos d'*Ap.* XX, 4 : *Et vidi sedes, et sedentes super eas, et judicium datum est,* voici l'explication d'Augustin : *Non hoc putandum est de ultimo judicio, dici ; sed sedes praepositorum, et ipsi praepositi intellegendi sunt, per quos nunc ecclesia gubernatur* (*Cité de Dieu,* XX, 9). La position d'Augustin, qui était celle de Ticonius, et même celle de saint Paulin de Nola (cf. ce qu'il dit du sénat *actuel* et céleste des martyrs et des apôtres dans le chap. 15 de sa lettre à Pammachius), sera par ailleurs reprise et étendue aux *Vieillards* d'*Ap.* IV, 4 par l'ensemble de la tradition exégétique. Notons également, entre parenthèse, qu'Augustin se garde bien de voir dans la grande vision de ce chapitre une image de Seconde Parousie. A propos d'*Ap.* IV, 6, il affirme d'ailleurs sans ambages : *sed tunc non de isto fine saeculi loquebatur* (*Cité de Dieu,* XX, 19). Sur la nécessité de ne pas confondre les images du Règne déjà inauguré avec les images de Seconde Parousie ou du Royaume eschatologique à venir, il y aurait beaucoup à dire. Je me contenterai donc d'une dernière allusion scripturaire, et puisque ce travail a trait aux images de l'autorité et du pouvoir, je choisirai ce texte d'Augustin : *Sed a parte* (les martyrs) *totum etiam ceteros mortuos intelligimus pertinentes ad Ecclesiam, quod est regnum Christi. Ergo, et nunc ecclesia regnum Christi est regnumque coelorum* (*Cité de Dieu,* XX, 9).

CHAPITRE V

ÉTUDE ICONOLOGIQUE

Que le Fils de l'homme de Daniel (chap. VII, 13) ne soit plus pour l'exégèse biblique moderne qu'une puissance angélique, distincte de Dieu, mais étroitement soumise à lui, semble être un fait acquis [1]. Il n'en reste pas moins que les premiers chrétiens ont rapidement reconnu dans cette figure mystérieuse le Christ du retour triomphal à la fin des temps dont il est longuement question dans Matth. XXIV, 27-30 et XXV, 31, et, plus brièvement, dans Matth. XVI, 27, XIX, 28, *XXVI, 64 ;* Marc VIII, 38, XIII, 26, *XIV, 62* et Luc IX, 26, XVII, 24, XXI, 27, *XXII, 69.* (Les passages soulignés correspondent à la comparution devant le Sanhédrin où le Christ affirme, sans s'identifier expressément à lui, que le Fils de l'homme viendra sur les nuées.)

— Comme l'éclair part du Levant et brille jusqu'au couchant, ainsi en sera-t-il de l'avènement du Fils de l'homme (Matth. XXIV, 27).

— Aussitôt après la détresse de ces jours-là (cf. Dan. VII), le soleil s'obscurcira, la lune perdra de son éclat, les étoiles tomberont du ciel, et les puissances des cieux seront ébranlées ; et alors apparaîtra dans le ciel le Signe du Fils de l'homme ; et alors toutes les races de la Terre se frapperont la poitrine ; et l'on verra le Fils de l'homme venir sur les nuées du ciel avec puissance et grande gloire. Et il enverra ses anges avec une trompette sonore, pour rassembler les élus des quatre coins de l'horizon, d'un bout des cieux à l'autre (Matth. XXIV, 29-31).

— Quand le Fils de l'homme viendra dans sa gloire, escorté de tous les anges, alors il prendra place sur un trône de gloire. Devant lui seront rassemblées toutes les nations, et il séparera les gens les uns des autres, tout comme le berger sépare les brebis des boucs (Matth. XXV, 31).

— Quand le Fils de l'homme siègera sur son trône de gloire, vous siègerez vous aussi sur douze trônes, pour juger les douze tribus d'Israël (Matth. XIX, 28).

— Le grand Prêtre lui dit : « Je t'adjure par le Dieu vivant de nous dire si tu es le Christ, le Fils de Dieu ». Jésus lui répond : « Tu l'as dit, d'ailleurs je vous le déclare : désormais vous verrez le Fils de l'homme siéger à droite de la Puissance et venir sur les nuées du Ciel (Matth. XXVI, 63-64).

— Mais en ces jours-là, après cette détresse, le soleil s'obscurcira, la lune perdra de son éclat. Les étoiles se mettront à tomber du ciel et les puissances qui sont dans les cieux seront ébranlées. Et alors on verra le Fils de l'homme venir dans les nuées avec grande puissance et gloire. Et alors, l'on enverra ses anges pour rassembler ses élus (Marc XIII, 24-27).

— De nouveau le grand Prêtre l'interrogea et lui dit : Es-tu le Christ, le Fils de Dieu ? » « Je le suis, répondit Jésus, et vous verrez le Fils de l'homme siéger à droite de la Puissance et venir avec les nuées du ciel (Marc XIV, 61-62).

— Et il y aura des signes dans le soleil, la lune et les étoiles... Et alors on verra le Fils de l'homme venir dans une nuée avec puissance et grande gloire (Luc XXI, 25-27).

— « Si tu es le Christ, dis-le nous ». Il leur répondit : « Si je vous le dis, vous ne croirez pas... Mais à l'avenir le Fils de l'homme aura son siège à la droite de la Puissance » (Luc XXIII, 67-69).

1. A ce propos, cf. J. COPPENS et L. DEQUEKER, *Le Fils de l'homme et les saints du Très Haut en Dan. VII, dans les Apocryphes et le Nouveau Testament,* Bruges-Paris, 1961. Sur Matth. XXV, 31-46, voir J.C. INGELAERE, *La « Parabole » du Jugement dernier (Matth. XXV, 31-46),* dans *Revue d'histoire et de philosophie religieuse,* t. L, 1, Paris, 1970, p. 23 et suiv., où sont évoqués les rapports de ce texte avec l'*Apocalypse d'Hénoch.*

Dans les écrits de saint Jean, le Fils de l'homme n'apparaît que deux fois dans l'*Apocalypse* : *Ap.* I, 13 (la vision initiale du Fils de l'homme aux cheveux blancs entouré des sept candélabres) et XIV, 14 (le Fils de l'homme couronné, assis sur des nuées et tenant une faucille), mais il en est fait mention douze fois dans l'évangile :

— Vous verrez les cieux ouverts et les anges de Dieu monter et descendre au-dessus du Fils de l'homme (Jean I, 51).
(Autre mention en Jean III, 13).

— Comme Moïse éleva le serpent dans le désert, ainsi faut-il que soit élevé le Fils de l'homme, afin que tout homme qui croit en lui ait la vie éternelle (Jean III, 14-15).

— Comme le Père dispose de la vie, ainsi a-t-il donné au Fils d'en disposer lui aussi, et il lui a donné puissance d'exercer le Jugement parce qu'il est le Fils de l'homme (Jean V, 27).
(Autres mentions en Jean VI, 27, 51-64, 61-62 ; VIII, 28-29 ; IX, 35.)

— La voici venue l'heure où le Fils de l'homme doit être glorifié (Jean XII, 23). Maintenant le Fils de l'homme a été glorifié et Dieu a été glorifié en lui (Jean XIII, 31) (cf. Jean XII, 34). (Ces trois derniers passages ont trait à l'annonce de la Passion.)

Plus encore que les évangélistes des écrits synoptiques, Jean semble donc associer étroitement dans la figure du Christ, les figures du Serviteur souffrant du *Second Isaïe* et du Fils de l'homme de Daniel. C'est d'ailleurs à la veille de la Passion que se multiplient les paroles ou allusions du Christ relatives à la glorification ou au Retour du Serviteur souffrant en Fils de l'homme glorieux.

Dans la plupart des cas, cette apparition est décrite comme une vision soudaine et dramatique, souvent accompagnée de cataclysmes et d'un Jugement. Les textes cités semblent donc être en contradiction avec la plupart des images étudiées jusqu'ici, qui présentent au contraire cette apparition triomphale comme une vision statique.

Que l'authenticité des prédictions eschatologiques faites par le Christ à la veille ou au cours de sa Passion aient été mises en doute par certains exégètes modernes importe peu pour notre étude. On soulignera cependant la rareté du terme de Fils de l'homme dans les *Actes des Apôtres* (une seule fois en *Act.* VII, 56) en constatant, avec M. J. Coppens, « qu'il faut vraiment attendre l'avènement de l'église apostolique pour que le messianisme royal (dans lequel se voit peu à peu intégré le thème du Fils de l'homme) surgisse distinctement à l'horizon de la foi chrétienne. A ce moment, toutefois, il s'applique non plus à ce que nous pourrions appeler le Christ de l'histoire, mais au Christ glorifié par la Résurrection et l'Ascension » [2].

Les travaux de la nouvelle école biblique ont bien montré l'importance des « relectures » successives auxquelles furent constamment soumis les textes de caractère messianique qui émaillent l'Ancien Testament, tout particulièrement les livres des Psaumes et les Prophètes [3]. Sur le messianisme juif en général, sur les conceptions messianiques de Jésus et de l'Église primitive, nous sommes maintenant de mieux en mieux renseignés. « L'aspect royal ne représente plus qu'un aspect à tout prendre secondaire de la vraie physionomie du sauveur Jésus. Par ses paroles et par ses œuvres, Jésus mit en sourdine le messianisme royal » [4]. « Enfin il y a la notion chrétienne du Messie. Elle accepte le caractère eschatologique mais elle fait subir à la fonction royale une mutation presque totale. Elle la transpose d'un niveau terrestre, matériel, national, à un niveau universel, spirituel, céleste, transcendant. Elle associe au thème du roi idéal de l'avenir celui de l'Ebed Yahvé et du Fils de l'homme. En outre, elle dissocie les moments où doivent se réaliser à la perfection les divers aspects d'une notion devenue extraordinairement complexe. Elle situe au cours d'une première parousie, humble et terrestre, l'accomplissement de la mission d'Ebed, réservant surtout à une deuxième, celle d'une parousie glorieuse, la révélation du Messie, en tant que Fils d'homme et Roi glorieusement intronisé à tout jamais » [5]. « Jésus réalisa en sa personne la mission du Serviteur souffrant. Puis, par ses origines célestes, étant Fils de Dieu et par conséquent, d'une façon éminente et unique, « ange de Yahvé », il fut le vrai Fils d'homme. Enfin, par sa glorieuse résurrection, son Ascension et son intronisation céleste, il apparut comme le Seigneur, comme le vrai Messie, oint de Yahvé pour toute l'éternité. Que Jésus lui-même, et

2. J. COPPENS, *L'espérance messianique,* dans *Revue des Sciences religieuses,* t. XXXVII, fasc. 2 et 3, Paris, 1963, p. 48.

3. A ce propos, cf. J. COPPENS, *Le messianisme royal,* Paris, 1968 (avec bibliographie et discussion des différents points de vue) ; cf. également P. BESKOV, *Rex gloriae,* Uppsala, 1962, p. 33 et suiv.

4. J. COPPENS, *Le messianisme royal,* p. 195-196.

5. *Ibid.,* p. 12.

après lui, l'Église apostolique ait réalisé cette synthèse, ce fut grâce à une intuition surnaturelle, qui s'avèra remarquablement exacte même d'un point de vue critique, en ce qu'elle a réuni les figures les plus éminentes de l'attente sotériologique et qu'elle a découvert le vrai fil conducteur qui les unissait, à savoir l'espoir dans la venue d'un règne de paix, de justice, de sainteté, qui serait le règne de Dieu.» [6].

Le messianisme royal retrouve pourtant toute sa vigueur au contact de la civilisation impériale romaine, cela bien avant la conversion de l'Empire au christianisme qui en précipita le mouvement. Cette évolution, qui par ailleurs tend à repousser au second plan la pure eschatologie de l'attente, est très sensible chez les apologistes chrétiens du IIe et IIIe siècle, en particulier dans leurs écrits *ad Judaeos.* Pour les convaincre que le Christ est bien le Messie, le Roi de gloire promis par les prophètes à Israël, Justin martyr, par exemple, considère comme des épiphanies royales aussi bien la naissance et l'adoration des Mages (mises en rapport avec *Michée* V, 1-3 ; chap. XXXVII, 2-4, XXXVIII, 1-2) que l'Entrée à Jérusalem (cf. *Zach.* IX,9 ; chap. LIII, 2-3, LXXXVI, 6) ou la Passion (cf. *Ps.* XCVI, 10 ; chap. LXXIII, 1-4, LXXIV, 9) [7]. Ces épiphanies terrestres ne sont toutefois que les prémices du triomphe eschatologique annoncé par la Résurrection et l'Ascension, la *Pentacostê* de la liturgie contemporaine. Les textes qu'il cite, qu'ils soient extraits du Nouveau ou de l'Ancien Testament sont manifestement soumis par lui à un nouvel examen, à une sorte de relecture impériale qu'il est difficile de ne pas mettre en parallèle avec les conceptions romaines contemporaines relatives à la théologie du pouvoir impérial. L'exégèse, qui deviendra traditionnelle, du *Ps.* XCVI, 10 (*Vet. lat.* XCV), *Dominus regnavit a ligno, hoc est per tropaeum crucis* (d'où *Signum Filii hominis, hoc est tropaeum crucis*) est à cet égard exemplaire. En assimilant la croix à un trophée, à un *nikétérion* « militaire », Irénée, Justin martyr, Minucius Felix, Tertullien, etc. ne font ainsi que jeter les bases d'une nouvelle conception du messianisme royal qui sera tout particulièrement à l'honneur après Constantin, et surtout à partir de l'époque théodosienne, quand il aura trouvé son expression iconographique.

C'est à la lumière de ce nouveau messianisme royal, « romano-chrétien », qu'il convient donc d'étudier les traditions iconographiques du triomphe céleste du Christ, en les confrontant, dans la mesure du possible, avec les textes sacrés et les commentaires que l'on estime pouvoir s'y rapporter. En admettant que le décor absidal de Sainte-Pudentienne soit effectivement une Vision de Seconde Parousie, correspondant au Retour triomphal du Fils de l'homme, interprétation que je ne partage pas, mais que je reconnais légitime, nous sommes forcés de faire quelques remarques. Ce qui fut signifié, vers 400-410, dans le cul-de-four de cette église de Rome ne correspond pas à la majeure partie des textes néotestamentaires décrivant le Retour du Fils de l'homme. En effet, nous n'avons pas sous les yeux la vision fulgurante du Christ traversant les nuées, dans un climat de désolation et de bouleversement cosmique, ainsi qu'il en est question en *Matth.* XXIV, 27-31, *Marc* XIII, 24-27 ou *Luc* XXI, 25-27. Cette image correspond-elle davantage à *Ap.* XX, 11, à *Matth.* XIX, 28 ou XXV, 31 où il est question du trône ? Dans ce cas encore la correspondance reste floue, car il est fait abstraction des peuples et des tribus rassemblés pour le Jugement. Un autre point de divergence entre l'image et le texte est la présence de la croix. Il est bien question de l'apparition du Signe du Fils de l'homme en *Matth.* XXIV, 30, mais, à cet endroit, *la croix accompagne le Christ traversant les nuées et marchant dans le ciel,* ce qui n'est pas le cas à Sainte-Pudentienne, où elle est plantée sur le Golgotha, au-dessus de Jérusalem et du Christ trônant. (Constatation similaire pour *Is.* II, 40, 10 ; III, 62, 11 : voici le Seigneur Yahwé Sabaoth qui vient avec puissance... Le prix de sa victoire l'accompagne et ses trophées le précèdent).

Si le décor absidal correspond mal au texte, ou aux commentaires, qui ont servi de base pour une interprétation apocalyptique, son schéma de composition, en revanche, semble très proche de deux monuments impériaux quasi contemporains : le soubassement de la colonne d'Arcadius et une autre colonne non identifiée analysés plus haut. Cette remarque étant faite, le caractère triomphal de l'ensemble du décor ayant été reconnu, nous pourrions alors tenter de le confronter à une pièce anonyme, de la fin du IIIe siècle et d'origine africaine, appartenant à la série des traités *ad Judaeos :* le *De montibus Sina et Sion* de *PL* 4, col. 910-918. L'auteur

6. J. COPPENS, *L'espérance messianique,* p. 48 et suiv.
7. Sur Justin et la royauté du Christ, cf. J. LECLERCQ, *L'idée de la royauté du Christ au Moyen Age,* Paris, 1959, p. 215-226 (appendice I). Voir également P. BESKOV, *Rex gloriae,* p. 74 et suiv., et sur les traités *ad Judaeos, ibid.,* p. 75 et suiv.

de cette apologie a tenté d'expliquer deux textes apparemment contradictoires : *Lex per Moysen data est, gratia et veritas per Jesum Christum facta est* (*Jn*, I, 17) et *De Sion exiet lex, et verbum Domini ab Jerusalem* (Michée, IV, 2) en assimilant la sainte montagne de Sion à la colline du Golgotha. Je n'insisterai pas sur le détail de cette démonstration étymologique (col. 914-915) et passerai immédiatement à la conclusion qui intéresse directement notre propos. « *Unde manifestum est montem Sion ligni sacri regnum esse in sanctitate justificatum, dicente David : « annuntiate regnum Dei in Gentibus, quia Dominus regnavit a ligno et transivit in Gentibus ». De quo regno ligni regalis idem propheta dicit : « ego autem constitutus sum rex ab eo super Sion montem sanctum ejus annuntians imperium ejus »*[8]*. Sic vero et alius propheta* (Michée) *declarat lignum passionis Dominicae esse montem Sion sanctum... Christus autem in montem sanctum ascendit lignum regni sui... Exinde in montem ascendit innocens et mundus corde ; et ideo propheta dicit : « Quis ascendet in montem Domini, et quis stabit in loco sancto ejus ? » Et declaravit montem Sion sanctum esse sanctam crucem, dicente aeque propheta* (Michée) : *« De Sion exiet lex, et verbum Domini ab Jerusalem ». Lex Christianorum crux est sancta... De Sion exiet lex, hoc est de ligno regali, et verbum domini ab Jerusalem, quae est Ecclesia*[9] *Caro ligno confixa emisit verbum Dominicum dicens : « Heli, Heli ». Et adimpletum est propheticum spirituale ante dictum : De Sion exiet lex, et verbum Domini ab Jerusalem. Hierusalem dicit de coelo descendentem, novam civitatem, quadratam per quatuor Evangelia, habentem duodecim fundamenta duodecim prophetarum, duodecim portas duodecim apostolorum, per quorum annuntiationem Christiani in hanc civitatem sanctam et novam introierunt quae spiritualis est Ecclesia*[10]. »

On voit immédiatement l'intérêt de ce texte pour une interprétation chrétienne plus précise du décor absidal de Sainte-Pudentienne. Le monticule rocheux qui soutient la croix-trophée pourrait donc être une image de Sion, la montagne sainte, « règne du bois sacré ». C'est là que le Christ a été sacré roi, après y avoir planté le trophée de sa puissance, la croix d'orfèvrerie de Sainte-Pudentienne[11]. Mais Sion, montagne du règne nouveau, d'où vient la nouvelle loi, *crux sancta,* est également la Jérusalem céleste où trône le Christ en compagnie des évangélistes, des apôtres et des prophètes. C'est là que sont réunis les deux Testaments (cf. col. 917 B-C), la nouvelle Église céleste des Juifs et des Gentils.

A la lumière de ce traité, on pourrait donc admettre (ce qui n'est pas en contradiction avec une analyse purement iconographique) que le décor de Sainte-Pudentienne est une image du triomphe du Christ par la croix, triomphe cosmique et éternel dont la victoire sur le Golgotha n'aurait été que l'« épiphanie terrestre ». C'est également une image de la Jérusalem céleste et de l'Église céleste et triomphante ; en résumé, la proclamation d'un règne nouveau dans sa sérénité, son harmonie éternelle et en ce sens seulement eschatologique.

Nous voilà donc très loin de la Vision de Matthieu, vision apocalyptique de la fin des temps, appartenant encore à l'histoire. La théophanie de Sainte-Pudentienne, tout au contraire, est située hors du temps, au-delà ou au-dessus de l'histoire, dans l'éternité post ou supra-apocalyptique où les damnés n'ont naturellement aucune place.

En rapprochant le *De Sina et Sion* du décor absidal de Sainte-Pudentienne, je ne prétends pas conclure que des rapports directs, qu'une influence précise les lie l'un à l'autre. Ce texte, qui n'est pas très original, pourrait d'ailleurs être appliqué, de la même manière, au décor de l'abside du Latran dans sa version paléochrétienne[12]. Ils sont cependant liés dans la mesure où l'un et l'autre, dans des registres différents, ont tenté de résoudre cette antinomie apparente entre la majesté royale du Christ (après son intronisation ou dans la Seconde Parousie) et l'humilité de sa mort dans la Première[13]. Nous retrouvons là, en effet, l'un des thèmes majeurs de la littérature chrétienne apologétique qui restera vivace tout au long du Moyen Age.

Aux IVe et Ve siècles, dans l'iconographie, nous constatons en effet l'absence presque totale d'images du « Serviteur souffrant ». Cela ne signifie pas que les chrétiens se soient distancés ou même aient eu honte de l'humilité de la Première Parousie (les textes contemporains le démontrent suffisamment) ; toutefois, dans la scène du Portement de croix ou de la

8. Col. 915C (*Mi.* IV, 2 = *Is.* II, 3).
9. Col. 916A-C.
10. Col. 916D-917A.
11. Cf. saint Jean Chrysostome (*in Johann.*, XIX, *hom.* 85, *PG.* 59, col. 459) *... et Jesum, ubi mors dominata est, ibidem tropaeum erexisse.*
12. A ce propos cf. Y. CHRISTE, *A propos du décor absidal de Saint-Jean du Latran à Rome,* dans *Cahiers Archéologiques,* t. XX, Paris, 1970, p. 197-206.
13. J. LECLERCQ, *Idée de royauté,* p. 219.

Crucifixion, les iconographes et les apologistes voient autre chose que le seul épisode humiliant. Par-delà l'agonie sur la croix et avant même que le Christ ait été confronté avec la mort, on a voulu signifier que la Passion serait suivie de la Résurrection et du triomphe de la *Pentacostê.* L'idée d'humilité, la marche vers l'échafaud et la mort, et l'idée de victoire seront donc superposées, c'est-à-dire traduites, simultanément, par une même image. Le Christ allant au-devant de la victoire de la petite plaque d'ivoire de Londres (Rome, vers 430) ou des portes de Sainte-Sabine, portera donc sa croix — une croix triomphale — aussi « allègrement » que l'empereur son trophée nicéphore [14]. Et le même procédé permet d'expliquer les « Crucifixions » du type du sarcophage n° 171 de l'ancien Musée du Latran, des ampoules de Terre-Sainte ou des petits objets évoqués au premier chapitre. L'omniprésence de la croix, mais de la croix triomphale, dans l'art des IVe, Ve et VIe siècles illustre abondamment cette manière de faire. On retrouve d'ailleurs comme un écho de ces procédés dans les lectures liturgiques du *Triduum* pascal, où la mort n'est jamais dissociée du triomphe, ni le triomphe du supplice [14 bis].

Le recours à l'iconographie impériale, et surtout militaire, permettrait une expression simple et facilement compréhensible de cette double réalité à la fois théologique et sotériologique. Dans toutes les provinces de l'Empire, la symbolique impériale constituait en effet un langage universel, accessible à tous (*religio Romanorum tota castrensis,* avouait Tertullien), qui avait l'avantage de définir avec assez de clarté la toute puissance d'un souverain *semper et ubique victor* dans toutes ses actions. Elle servit donc de véhicule, de moyen d'expression figurée à la théologie apologétique des premiers Pères, en leur fournissant des images admissibles d'un Fils de Dieu, roi des rois et souverain du monde, dans la réalité ou même l'adversité apparente de son humilité terrestre.

Un autre mouvement, celui-là postérieur à la victoire de Constantin, paraît avoir favorisé les représentations du Christ en souverain céleste. En mettant en cause l'intégrité de la divinité du Fils, l'arianisme fut la cause d'une importante restructuration des formules christologiques, ceci afin d'éviter toute apparence de subordinationnisme. Le remplacement de l'invocation *Gloria Patri per Filium et in Spiritu sancto* par *Gloria Patri* et *Filio* et *Spiritui sancto* (en grec : διὰ-ἐν par μετὰ-σὺν) suppose une nouvelle orientation de la mentalité religieuse, « car l'accent était placé désormais non sur ce qui nous unit à Dieu (le Christ considéré comme l'un de nous par sa nature humaine, comme notre frère) mais sur ce qui nous sépare de Dieu (son infinie majesté) » [15]. Bien que la crise et ses conséquences aient été plus vives en Orient, l'Occident (et même Rome qui jusqu'au Moyen Age continua d'observer le *per Christum* antique) ne resta pas à l'écart du débat [16]. L'instauration, le développement des fêtes de Noël et de l'Épiphanie (cette dernière empruntée à l'Orient) le démontrent suffisamment, car elles permettaient d'exalter la grandeur et la gloire du Christ, nouveau *Sol invictus* dont le 25 décembre ou le 6 janvier était le *Dies natalis,* l'épiphanie. « Ce fut le zèle à défendre la divinité et la grandeur du Christ qui facilita la rapide propagation des deux fêtes, en sorte que celle d'Orient fut même adoptée en Occident et vice-versa, alors que toutes deux avaient en réalité le même thème : celui de la venue du Seigneur dans le monde » [17]. Notons en passant, pour ce cas particulier, que l'influence du paganisme, de la notion quasi impériale d'épiphanie victorieuse se conjugue avec l'idée chrétienne du messianisme royal et de la lutte anti-arienne.

L'église primitive ne répugne donc pas à évoquer, ou à représenter, le supplice du Golgotha ; elle se refuse seulement à le dissocier de la victoire de

14. A ce propos voir *supra,* chap. III, p. 47 et suiv.

14 bis. Sur ce sujet, voir J.A. JUNGMANN, *La liturgie des premiers siècles,* Paris, 1963, p. 387 et suiv., et O. CASEL, *La fête de Pâques dans l'Église des Pères,* Paris, 1963, trad. française de l'article *Art und Sinn der ältesten christlichen Osterfeiern,* dans *Jahr. für Lw.,* t. XIV, München, 1932.

15. J.A. JUNGMANN, *La liturgie des premiers siècles,* p. 301. Sur ce sujet particulier, voir notamment du même auteur, *Die Stellung Christi im liturgischen Gebet* (*Liturgiegeschtliche Forschungen,* t. VII-VIII), Münster, 1925 ; et, pour l'Occident, l'article traduit en français, *La lutte contre l'arianisme germanique et l'orientation nouvelle de la civilisation religieuse au début du Moyen Age,* dans *Tradition liturgique et problèmes actuels de pastorale,* Lyon, 1962, p. 15-86.

16. A ce propos, voir par exemple l'inscription-*titulus* du décor absidal de Saint-Pierre (vers 370) et l'inscription (du Ve siècle) de l'abside de Saint-Chrysogone à Rome. De l'analyse comparative de ces deux inscriptions, il ressort que la volonté de signifier l'identité d'honneur du Père et du Fils a abouti à la « création » d'un signe iconographique nouveau, doté à Rome d'un sens particulier : la croix triomphale posée sur un trône, thème bien connu et polyvalent qui par la suite sera assimilé à l'Hétimasie. SEDES CELSA PRAEFERT INSIGNA CHRISTI — QUOD PATRIS ET FILII CREDITUR UNUS HONOR (Saint-Chrysogone, Diehl, *Inscriptiones latinae veteres,* t. I, Berlin, 1925, n° 1.956). ... QUAE (*aula* - la basilique de Saint-Pierre) PATRIS ET FILII VIRTUTIBUS INCLYTA GAUDET — AUCTOREMQUE SUUM GENITORIS LAUDIBUS AEQUAT (Saint-Pierre, Diehl, n° 1.753). A ce propos cf. J. RUYSSCHAERT, *L'inscription absidale primitive de Saint-Pierre, texte et contextes,* dans *RPAA,* série III, t. 40, Rome, 1968, p. 171 et suiv.

17. J.A. JUNGMANN, *La liturgie des premiers siècles,* p. 301-302.

Pâques, solennité qui est elle-même associée à une commémoration de la mort. L'iconographie illustre fort bien cette volonté d'unité. La « Résurrection » des sarcophages de la Passion est avant tout une image de la Crucifixion, de la victoire cosmique du Christ sur le Calvaire. Ses témoins, nous l'avons vu plus haut, sont aussi bien les gardiens du tombeau que saint Jean et la Vierge, saint Paul, les apôtres ou les saintes femmes, qu'ils aient été présents ou absents ce jour-là. Il arrive même (et c'est le sens qu'il faudrait retenir) que toute la « scène » soit située dans l'intemporalité, considérée comme une victoire cosmique ou une vision paradisiaque (intaille de Vienne, camée de Paris, abside du Latran, de Sainte-Pudentienne ou de San Stefano rotondo). Que cette image de victoire soit à la source de l'iconographie de la Seconde Parousie, autre théophanie victorieuse fondée sur le binôme Passion et Gloire, ne devrait donc pas étonner.

Nous constatons ainsi, dans l'iconographie triomphale qui correspond au *Triduum* pascal et à la *Pentacostê* qui le suit, une sorte de refus de l'historicité, en ce sens que tout événement s'étant réellement passé est immédiatement dépassé et mis en parallèle avec d'autres faits historiques, passés ou à venir, qui le complètent ou en font ressortir la réalité spirituelle. Par juxtaposition (c'est le cas des cycles historiés) et plus souvent encore par superposition d'images et de faits historiques relatifs à la première Parousie, la Crucifixion ou la Résurrection débouchent sur une image du règne actuel de Dieu, théophanie céleste de caractère évidemment eschatologique, mais qui n'est pas réinsérée dans l'histoire, en tant que vision de la fin des temps. Cela est particulièrement sensible dans le décor absidal du Latran (que je suppose paléochrétien dans ses lignes essentielles) et dans celui de Sainte-Pudentienne, deux programmes quasi contemporains et surtout synonymes, puisque nous y voyons à la fois le triomphe de la croix, le Christ dans le royaume de Dieu et une image de l'Église céleste.

Dans le cas de compositions de nature synthétique, le décodage de cet ensemble de signes pose évidemment quelques problèmes. Cependant, ce n'est pas en essayant de reconnaître à tous prix tel ou tel événement historique qu'on atteindra la vérité. L'imagerie triomphale, qui est d'abord une imagerie d'idées, ne se situe pas au niveau des faits historiques, mais dans l'abstraction, dans l'idéalité du mystère chrétien, ce refus de la narration permettant d'expliquer la rareté des représentations paléochrétiennes de Seconde Parousie, alors même qu'il existe de nombreux textes qui, dans des contextes divers, la décrivent avec assez de précision.

Nous en avons cité quelques exemples dans les chapitres précédents ; nous en retrouvons des « illustrations » non équivoques à partir du IXe siècle, en Occident comme en Orient, et on comprend mal que l'art paléochrétien s'en soit à peu près désintéressé. De nombreux éléments tirés des visions apocalyptiques (en particulier celles de Jean) se sont naturellement introduits dans des compositions variées situées dans l'abside ou sur la façade. L'alpha et l'oméga, les sept candélabres, le rouleau au sept sceaux, les Vieillards ou les quatre Vivants, avec ou sans livre, sont pourtant moins des signes ou des témoins du retour dramatique à la fin des temps que des attributs ou des « amis » du souverain céleste dans l'exaltation de son règne éternel (cf. par exemple les monnaies de Magnence pour l'année 353 avec au revers une croix flanquée de l'alpha et de l'oméga, image qui n'a rien à voir avec le Signe du Fils de l'homme de la fin des temps, mais qui proclame simplement l'orthodoxie nicéenne de l'usurpateur des Gaules face à l'empereur légitime et arianisant, Constance II [18]). Que par la même occasion la Seconde Parousie soit suggérée ne semble faire aucun doute, mais elle n'est pas plus signifiée que la Crucifixion ou la Résurrection des ampoules de Terre Sainte ou des sarcophages de la Passion. En tant qu'événement historique, le Retour à la fin des temps est laissé au second plan ; au même titre que la mort sur le Golgotha, l'ultime épiphanie décrite par Jean ou Matthieu n'est que l'occasion, le moyen de signifier la toute puissance et le royaume de Dieu. En conséquence, les damnés, la séparation des bons et des mauvais ne seront pas représentés, car de cette manière une image abstraite, synthétisant un ensemble de faits et de réalités indissociables, serait alors réinsérée dans l'histoire, ne serait plus qu'un aspect, un fragment isolé et incomplet de l'histoire du salut. Je crois donc que l'on peut comparer l'absence de Jugements derniers dans l'art paléochrétien au refus de représenter le Christ mort sur les images contemporaines de la Crucifixion. L'apparition du Christ mort, yeux fermés ou tête affaissée, dans l'art d'Occident (*Psautier d'Utrecht,* ivoire de Munich, etc.) ou

18. A ce propos, voir P. BASTIEN, *Le monnayage de Magnence,* p. 8. Pour un signe équivalent, voir n. 16, la croix sur le trône.

l'art d'Orient (icônes du Sinaï, Psautiers à illustrations marginales) [19] coïncide d'ailleurs avec celle des Secondes Parousies ou des Jugements derniers médiévaux. En quelque sorte, les dessous historiques, non signifiés, de l'imagerie paléochrétienne sont remontés à la surface à la suite d'une nouvelle orientation de la pensée et de la pratique des images.

Nous avons évoqué tout à l'heure l'importance du *principe de superposition* dans la manière de figurer et surtout de dépasser un fait historique comme l'Adoration des Mages (par exemple celle de Sainte-Marie Majeure), l'Entrée à Jérusalem (par exemple celle du linteau copte dit d'All'Moallaka au Musée du Caire) ou la Crucifixion des ampoules. A partir du IXe siècle, en Occident, un autre principe à la fois formel et significatif se substitue progressivement à celui-ci, le principe de *juxtaposition*. Pour illustrer ce procédé, nous aurons recours une fois encore au thème de la Crucifixion. Dans le but de signifier la victoire du Christ en même temps que sa mort, l'iconographie paléochrétienne, nous l'avons vu, superpose ces deux idées, de sorte que la croix devient un trophée au sommet duquel on ne voit plus que le chrisme ou le buste du Christ presque toujours flanqué du Soleil et de la Lune, quand d'autres signes d'éternité (prairie du paradis, alpha et oméga, etc.) ne jouent pas le même rôle. Au Moyen Age, c'est encore la même idée qui est exprimée, mais elle l'est en deux temps, par juxtaposition d'une image de gloire et de supplice. La croix, avec le Crucifié, sera surmontée par une image triomphale : Christ de l'Ascension, Christ trônant dans la mandorle, Seconde Parousie, etc. L'abside de Saint-Clément à Rome (Crucifixion + buste), le revers de la contre abside de Reichenau Oberzell (Crucifixion + Seconde Parousie), le vitrail de la Passion de la cathédrale de Poitiers (Crucifixion + Ascension) ou les croix peintes de Toscane et d'Ombrie illustrent abondamment cette manière de faire. Ce procédé, s'il est différent de celui qui avait la faveur de l'art triomphal paléochrétien vise cependant le même but : réunir en une seule personne, celle du Christ, l'idée d'humanité et de divinité, d'humilité et de gloire, Jésus « oint de Dieu » étant à la fois désigné comme le serviteur souffrant de la Passion et le Fils de l'homme égal au Père qui maintenant règne dans le ciel.

A la même époque, au nord des Alpes, se produit également une importante transformation de l'expression théophanique. La vision de Dieu dans le ciel des absides et des façades est en effet définie de plus en plus nettement comme une apparition de la fin des temps. Le Christ est désigné comme un Juge (*tituli* d'Alcuin, de Flore de Lyon, de Raban Maur, etc.) et son retour s'accompagne de bouleversements cosmiques (*Carmina Sangallensia*), ainsi qu'il en est fait mention dans les Apocalypses de Jean et des Évangiles synoptiques. La plupart des théophanies empruntées à l'art paléochrétien, tant proto-byzantin qu'occidental, subissent cette mutation, cette réintégration dans le courant historique. En conséquence, elles ont été soumises à des aménagements de caractère stylistique ou iconographique qui progressivement les ont rapprochées des textes évangéliques relatifs à la Seconde Parousie. Tout naturellement, la résurrection des morts, la séparation des bons et des mauvais font leur apparition. On observe d'autre part une fusion étroite entre la vision de Matthieu, celles de Jean, les Ascensions et les autres thèmes synonymes d'apparitions triomphales.

Parallèlement, le retour du Fils de l'homme est ressenti comme une théophanie soudaine et dramatique, et non plus paradisiaque et sereine comme autrefois dans les absides et même sur les façades et les arcs triomphaux romains ou ravennates. Et curieusement, mais cette contradiction n'est qu'apparente, cette réinsertion dans le courant de l'histoire s'accompagne d'une interprétation de plus en plus transcendantale de la vision du Christ. Elle est alors conçue et signifiée comme une manifestation surnaturelle de la divinité que même les anges et les évangélistes ne peuvent soutenir sans effroi [20].

C'est dans cette optique qu'il faut comprendre l'évolution du thème des animaux ailés, les quatre Vivants de l'Apocalypse. Symboles encore abstraits de la parole de Dieu, de la réalité de l'Incarnation, ils tendent à devenir des témoins privilégiés ayant approché au plus près de la divinité. La distance qui les sépare du Christ, alors même que c'est une image de la fin des temps, donc en principe accessible à tous,

19. Sur l'apparition du crucifié mort sur la croix, ainsi que sur les raisons théologiques de cette création, voir notamment pour Byzance, A. GRABAR, *L'iconoclasme byzantin*, Paris, 1958, p. 288 et suiv. ; pour l'Occident carolingien, R. HAUSSHEER, *Der tote Christus am Kreuz*, thèse de l'Un. de Bonn, 1963 ; et pour le Sinaï, H. et C. BELTING, *Das Kreuzbild im « Hodegos » des Anastasios Sinaites*, dans *Tortulae, Römische Quartalschrift*, t. XXX, p. 30-39. Il importe peu que le Sinaï (vers la fin du VIIIe siècle) ait précédé sur ce point l'Occident carolingien (vers 830) ou Byzance (vers 850), la manière et les raisons de figurer le Christ mort étant à chaque fois différentes.

20. Cf. Y. CHRISTE, *Les grands portails romans*, Genève, 1969.

qui est représentée, a singulièrement grandi. De même, dans les apôtres ou les puissances célestes qui entourent et contemplent la majesté divine, nous ne retrouvons plus la sereine assemblée céleste des absides paléochrétiennes de Rome ou de Ravenne. Au nord des Alpes, à partir du IXe siècle, les témoins d'une théophanie tendent à exprimer dans leur attitude la distance infinie qui les sépare de l'objet de leur contemplation. En cela, ils s'identifient davantage aux témoins des visions prophétiques de l'Ancien Testament qu'aux apôtres et aux saints des absides romaines. Sous le règne de Charles le Chauve, en particulier dans les manuscrits que l'on peut rattacher à l'école palatine ou à des *scriptoria* travaillant pour le palais, l'effroi, la stupeur ou l'aveuglement sont presque de règle devant une image de la divinité dévoilée (cf. en particulier Paris, B.N. lat. 1.141, fol. 5v et 6, Munich, Clm 14.000, fol. 6v).

En étudiant l'iconographie paléochrétienne du Portement de la croix ou de la Crucifixion, nous avions pu constater une sorte de projection de la réalité historique de la Première Parousie dans le domaine surnaturel et triomphal de la réalité eschatologique, au point qu'il n'existe pas vraiment de rupture entre ces deux niveaux. A partir de l'époque carolingienne, en revanche, la souffrance, la réalité physique de la mort commencent à être représentées, alors même que la notion du Christ médiateur s'efface devant l'idée du Christ égal au Père, inaccessible dans sa divinité [21]. D'une iconographie de caractère essentiellement dogmatique et triomphal, ne livrant au regard que les conclusions triomphales d'une réflexion sur le rôle et les conséquences de l'Incarnation, on se rapproche ainsi des conceptions plus proprement médiévales où ces deux notions antinomiques de Passion et de Gloire, d'humilité et de toute puissance, ne se résolvent plus dans une image unique, mais constituent, pourrait-on dire, les deux pôles d'une tension mystique. Entre l'éternité, la divinité inaccessible du Verbe, et la réalité historique, et même physique de Jésus, l'iconographie médiévale ne choisit pas un moyen terme ; elle se propose de les exprimer toutes deux, et conjointement, en reconstituant l'unité primitive par la juxtaposition des deux réalités. Les exemples de ce type sont encore rares à l'époque carolingienne, mais ils se multiplient au XIIe siècle où la plupart des théophanies, quand elles ne se réfèrent pas directement à Matth. XXIV-XXV, sont conçues de cette manière : une image de la divinité associée à une image de l'Incarnation, empruntée au cycle de l'Enfance ou de la Passion. C'est d'ailleurs à une image pouvant être rattachée à la liturgie de la Nativité qu'il est fait appel le plus fréquemment, la Vierge seule, avec ou sans Enfant, ou des scènes de l'Enfance formant avec la *Majestas Domini* qui les accompagne une sorte de traduction synthétique du Prologue de l'Évangile de Jean : *Verbum caro factum est, et habitavit in nobis, et vidimus gloriam ejus quasi unigeniti a Patre* (*Jn.*, I, 14). Dans la liturgie comme en iconographie, la dominante pascale de l'époque paléochrétienne a fait place à celle de Noël.

Cette volonté de signifier conjointement ces deux réalités antinomiques que sont l'humilité de la Première Parousie et la gloire de la Seconde, se laisse encore mieux saisir dans l'iconographie de la Vision de Matthieu. Au IXe siècle, époque de mutation dont va dépendre en grande partie l'évolution ultérieure de l'art médiéval occidental, elle est considérée comme l'équivalent, le synonyme de la Vision de saint Jean. Dans un assez long poème sur le Retour du Christ à la fin des temps, le *De fide catholica rythmus,* Raban Maur combine ainsi les révélations de l'*Apocalypse* et celles de Matthieu XXIV-XXV, et l'on comprend dès lors que saint Jean, au fol. 53r de l'*Apocalypse de Bamberg,* contemple une Vision de Matthieu, ou qu'une image du même type achève un cycle d'images de l'*Apocalypse* dans le porche de l'église de Saint-Savin.

Ipso de caelis domino
Descendente altissimo
Praefulgit clarissimum
Signum crucis et vexillum...

Tuba primi archangeli
Strepente admirabili
Erumpent munitissima
Claustra ac poliandra.
Surget homo a tellure
Restauratus a pulvere...

Altithronus glorioso
Rex sedebit in solio.
Angelorum tremebunda
Circumstabunt et agmina.
Cunctis Judex cum propria
Secundum reddet merita...

21. Cf. J.A. JUNGMANN, *La lutte contre l'arianisme*, p. 64 et suiv.

Sic viginti felicibus
Quatuor senioribus
Coronas iam mittentibus
Agni Dei sub pedibus
Laudatur tribus vicibus
Trinitas aeternalibus.

Bis binis coram stantibus
Unitis animalibus
Terna laude sonantibus :
Sanctus Sabaoth Dominus...

Zelus ignis furibundos
Consumet adversarios
Nolentes Christum credere
Deo a patre venisse... [22].

C'est également une théophanie de la fin des temps, une apparition soudaine et dramatique, mais aussi une image de la divinité révélée aux yeux des hommes, avec plus ou moins de clarté, vivants ou ressuscités. *Majestatem ejus haud dubium quin divinitatem ejus intellegere debemus, quae invisibiliter cum Patre et Spiritu sancto, peccatores judicabit et impios. Non tamen ab impiis et peccatoribus unquam visa est, neque unquam videbitur* [23].

La position de Raban Maur est on le voit assez radicale. Par majesté (cf. *Matth.* XXV, 31) il faut entendre divinité, réalité surnaturelle qui ne sera jamais accessible aux mauvais que l'on exclut ainsi de toute vision béatifique. On retrouve d'ailleurs comme un écho de ce rigorisme dans l'iconographie du Jugement dernier antérieur à l'époque gothique. Sur de nombreux monuments, en effet, les damnés ne sont pas représentés, ou rejetés très loin de l'apparition divine [24].

La position de Paschase Radbert, tout en étant moins absolue, peut être comparée à celle de l'abbé de Fulda : *Et tunc, inquit, videbunt Filium hominis, id est in finem saeculi, venientem cum virtute multa et majestate. Sed longe aliter videbunt eum electi, et aliter reprobi... Tollatur impius, ne videat gloriam Dei* (cf. p. 83-85). *Quia licet eum boni ac mali visuri sint, sic tamen eum impii et peccatores videbunt ut confundantur, et sic justi ex eo glorificentur ; sed quia dictum est quod visuri sint Filium hominis, non aliter accipiendum credo quam in specie hominis in qua ascendit* (cf. *Actes* I, 9-10) *videbunt in nubibus venientem supernis, ita ut omnes eum videant, qui eum crucifixerunt et rejecerunt* [25].

Voilà donc liés, dans un texte significatif, ces deux thèmes synonymes que sont l'Ascension et la Vision de Matthieu. La Seconde Parousie est pourtant une vision surnaturelle, une image de la divinité dont les damnés seront pratiquement exclus : *Et ideo, licet jungatur sententia, plangentibus tribus terrae, non aestimo quod ipsi visuri sint eum, intus in sua gloria, sed sic obtectum nubibus, ut satis appareat unde confundantur et doleant, quod talem tantumque non audierint Dominum* [26].

Ainsi qu'on peut le constater, la Crucifixion est régulièrement rapprochée de la Seconde Parousie. Ce n'est donc plus la Résurrection, l'idée de victoire du Christ sur le Golgotha, qui constitue la charnière entre l'idée de passion et celle de gloire. Tout en insistant sur la grandeur de cette apparition, les commentateurs la rattachent presque toujours à la Crucifixion. *Ergo proxime Pascha facturus, et tradendus cruci, et illudendus ab hominibus, et aceto et felle potandus, recte praemittit gloriam triumphantis, et secutura scandala pollicitationis praemio compensaret. Et notandum quod qui in majestate cernendus est, Filius hominis sit* [27]. *Idem enim Filius Dei Filius hominis, et Filius hominis Dei Filius, aliud secundum humanitatem, aliud secundum divinitatem, non tamen alius, sed unus idemque in utraque natura verus, et proprius Filius Dei* [28]. *Cum venerit, inquit, Filius hominis in majestate sua, idem quoque Filius Dei qui et Filius hominis tunc veniet in majestate sua ut judicet, qui ante venit in humilitate sua ut judicaretur. Tunc veniet districtus et severus, qui ante venit quietus ac mansuetus* [29]. *Quam juste et quam debite ipse potens adveniet Filius hominis ad judicium, qui tam humilis tamque despectus judicatus est injuste per omnibus. Et quia pro omnibus indebitam mortem pertulit, potenter insinuat, quia voluit. Et ostendit se regem esse et judicem omnium saeculorum, antequam congregabuntur omnes gentes, ut judicentur...* [30].

On comprend alors mieux l'apparition et le développement de quelques thèmes secondaires qui étaient

22. Cf. J. von SCHLOSSER, *Schriftquellen zur Geschichte der karolingische Kunst*, Wien, 1896, nº 933, p. 333-335.
23. Raban Maur, *in Matthaeum*, *PL* 107, col. 1.096B.
24. Cf. Y. CHRISTE, *Les grands portails romans*, p. 124 et suiv.
25. *PL* 120, col. 819D, 820A.
26. *PL* 120, col. 821B.
27. Raban Maur, *PL* 107, col. 1.095D.
28. *PL* 107, col. 1.096A. (Repris de saint Jérôme.)
29. *PL* 107, col. 1.096B.
30. *PL* 120, col. 858D-859A.

inconnus, ou à l'état d'ébauche, dans l'iconographie paléochrétienne, comme l'ostentation des plaies ou des « instruments » de la Passion. De cette manière est signifiée, sans équivoque possible, l'identité du Crucifié et du Fils de l'homme, de Jésus et du Christ, seconde personne de la Trinité, égale au Père et à l'Esprit saint [31].

Avant d'examiner cette question plus en détail, relevons tout d'abord un fait particulièrement significatif : l'évocation conjointe de la Crucifixion et de la gloire céleste. Nous avions pu constater une association semblable à l'époque paléochrétienne. Celle-ci était toute fois transcrite ou signifiée différemment, en ce sens que la Crucifixion, par la Résurrection et la *Pentacosté,* débouchait directement sur une image intemporelle du triomphe et du royaume cosmique. Sous la plume de Raban Maur, de Rémi d'Auxerre et de Paschase Radbert, et dans l'iconographie médiévale, ces deux moments sont au contraire distingués, mis en valeur séparément, avant d'être fondus dans l'évocation d'un triomphe céleste, situé historiquement, à l'horizon de l'histoire. Le binôme paléochrétien, Crucifixion + Pâques-Pentacostê, a donc fait place à celui-ci : Crucifixion + Seconde Parousie. *Quam juste et quam debite ipse potens adveniet Filius hominis ad judicium, qui tam humilis tamque despectus judicatus est... Et ostendit se regem esse et judicem omnium saeculorum* [32].

L'ostentation des plaies, dont le plus ancien exemple que je connaisse figure au fol. 68v du Paris B.N. grec 923, introduit le supplice du Golgotha dans le contexte triomphal et judiciaire de la Seconde Parousie. A Reichenau-Oberzell, dans une niche située directement sous le Christ triomphant et montrant ses plaies, on voit en outre une image de la Crucifixion qui réapparaîtra souvent sur de nombreux portails gothiques consacrés au Jugement (par exemple celui de la cathédrale de Fribourg-en-Brisgau).

L'ostentation des « instruments de la Passion » ou des *arma Christi* joue à peu près le même rôle. L'exemple conservé le plus ancien date du VIe siècle et figure sur l'arc triomphal de l'ancienne église de Saint-Michel in Affriscisco de Ravenne où deux anges portant la lance et le roseau flanquent une image du Christ trônant [33]. Il ne s'agit pourtant là que d'un essai isolé, sans aucune mesure avec le succès de ce thème dans l'art médiéval occidental. L'ostentation des instruments de la Passion, sujet relativement tardif, n'est pourtant compréhensible que par rapport à celle de la croix. En tant qu'instrument du supplice, celle-ci, nous l'avons vu, n'est pas représentée dans l'iconographie paléochrétienne, car elle est d'abord un trophée ou l'Arbre de Vie. Elle apparaît donc seule dans les compositions triomphales les plus anciennes que nous avons examinées. Sous l'aspect du gibet, elle apparaît distinctement vers 1100 sur un panneau de bronze des portes de San Zeno de Vérone où, tout naturellement, elle est accompagnée d'anges portant la lance et les clous. Je n'exclue toutefois pas des exemples plus anciens, en particulier carolingiens, dont l'illustration du *Ps.* 22 (21) du *Psautier d'Utrecht* nous aurait conservé le souvenir. Mais ils devraient être rares, car la croix-signe du Fils de l'homme gardera longtemps son aspect triomphal, sa valeur de *tropaion* ou de sceptre, alors même qu'elle sera accom-

31. C'est en somme reprendre à l'usage de tous les hommes l'apparition du Christ ressuscité et vainqueur de la mort à saint Thomas. Cf. déjà le pseudo-Chrysostome, *PG* 56, col. 919 et suiv. Dans ce même contexte, les deux témoins du supplice et de la victoire sur le Golgotha, la Vierge et saint Jean, réapparaissent aux côtés du Fils de l'homme triomphant de la Seconde Parousie.

32. *PL* 120, col. 858D-859A. Cette volonté de souligner successivement l'humilité de la Passion et la gloire de la Seconde Parousie pourrait expliquer l'apparition de nombreux Jugements derniers ou Secondes Parousies dont le cadre architectural est une croix triomphale ornée au revers d'une Crucifixion. Tel est le cas, par exemple, sur de nombreuses croix triomphales d'Irlande, à partir du Xe siècle, notamment celles de Durrow, celle dite des Écritures à Clonmacnoise, celle dite de Muiredach (avec pesée des âmes) et celle de la Tour à Monasterboice (cf. F. HENRY, *L'art irlandais,* t. II, éd. Zodiaque, 1964, p. 214 et suiv.). Autre exemple, tout aussi caractéristiques : la croix d'ivoire, dite de Gunhild, du Musée de Copenhague (Goldschmidt, *Elfenbeinskulpturen,* t. III, Berlin, 1923, n° 124, pl. XLIII et XLIV, seconde partie du XIe siècle). D'un côté le Christ trônant sur l'arc-en-ciel et présidant au Jugement montre ses plaies (*videte manus meas et pedes meos*) ; de l'autre, il était figuré crucifié (la figure d'applique du crucifié a disparu). A cette série d'exemples, on ajoutera enfin la Seconde Parousie de la façade de l'église de Saint-Jouin-de-Marne en Poitou. Le Christ, représenté au-devant de la croix, abaisse ses mains percées vers les élus : deux files de pèlerins qui s'avancent vers le centre de la façade où les accueille la Vierge.

33. Cf. C. IHM, *Apsismalerei,* p. 161-163. On notera cependant que cette vision de Seconde Parousie, qui est normalement située sur l'arc triomphal, est associée à une image paradisiaque du Christ vainqueur située dans l'abside. Flanqué de sa garde d'honneur, les archanges Michel et Gabriel, il est représenté debout sur la prairie du Paradis, croix à longue hampe dans la main droite selon le type monétaire du *princeps juventutis.* L'inscription que porte le livre : QUI VIDIT ME VIDIT ET PATREM EGO ET PATER UNUM SUMUS (*Jn* XIV, 9 et X, 30) a sans doute un caractère théologique antiarien, car elle confère au Christ victorieux de l'abside un honneur égal à celui du Père.

A propos de l'image de l'arc triomphal, on notera également que le thème des anges sonnant de la trompette n'appartient pas à la seule iconographie de la Seconde Parousie et de la Résurrection des morts. Dans la nef de Saint-Savin-sur-Gartempe, par exemple, ces mêmes anges accompagnent une image de Moïse recevant les tables de la Loi, au milieu des éclairs et du tonnerre. L'ange sonnant de la trompette, qui dans la majeure partie des cas est associée à la Seconde Parousie, signifie donc davantage l'apparition brutale, au milieu de l'orage, d'une réalité surnaturelle, que le seul épisode du Retour dramatique à la fin des temps, simple spécialisation d'un signe plus général.

pagnée des autres instruments (cf. notamment le fol. 9v du *Bénédictional d'Aethelwold* (vers 980) et les portails de Beaulieu et de Conques).

La croix dans le ciel, comme signe de victoire (*vexillum victoriae triumphantis, tropaeum crucis,* etc.) appartient en effet à une tradition solidement établie. Dans l'iconographie du Jugement dernier selon Matthieu, elle représente l'élément le plus ancien, tant du point de vue formel que sémantique, ce qui permet d'expliquer qu'elle ait résisté aux innovations, qu'elle ait conservé longtemps sa forme et sa signification triomphale au milieu de compositions en pleine mutation.

L'histoire des « *arma Christi* » ayant été faite, ses rapports avec la dévotion médiévale ayant été analysés, nous nous contenterons de renvoyer le lecteur à l'excellente étude sur ce sujet de M. R. Berliner [34], en constatant toutefois que l'introduction de ce motif dans la Vision de Matthieu est presque parallèle à un affaiblissement du caractère théophanique de cette dernière image. De l'époque carolingienne à la fin de la seconde partie du XIIe siècle, la Vision de Matthieu, avec ou sans indication de Jugement, est en effet le synonyme (ou du moins l'équivalent) des autres apparitions surnaturelles, de caractère théophanique, comme l'Ascension-Seconde Parousie, les Visions de saint Jean ou celles qui furent accordées aux prophètes ou aux apôtres du Tabor. A partir du XIIIe siècle, en revanche, elle tend à supplanter ses rivales, à n'être plus que le prélude à un Jugement dernier qui devient en fait le sujet principal de cette iconographie. Et par la même occasion, elle devient aussi « historique » que la Crucifixion qui, très souvent, l'introduit. En ce même contexte, saint Jean l'évangéliste et la Vierge, les deux témoins de la Crucifixion, sont naturellement devenus les intercesseurs privilégiés de nombreux Jugements derniers gothiques.

Nous avons vu plus haut quelles étaient les réserves de Raban Maur et de Paschase Radbert à propos de la possibilité laissée aux damnés de voir ou d'entrevoir la gloire de la divinité. Ces réticences sont significatives, car elles montrent bien que la Vision de Matthieu, tout en étant introduite dans l'histoire, était encore ressentie comme une théophanie surnaturelle, comme une faveur réservée aux seuls justes, aux « bénis du Père ». Sur de nombreux monuments du XIIe siècle (contre-abside de Reichenau, façade d'Angoulême, de Saint-Jouin de Marne, portails de Saint-Trophime à Arles, de Saint-Paul de Varax) l'absence de damnés, ou leur rejet loin du centre de la composition, semble faire écho à cette manière de voir qui disparaît presque complètement dans l'iconographie gothique. A partir du XIIIe siècle surtout, la Vision de Matthieu, en effet, n'est plus qu'un simple fait historique, un événement que verront tous les hommes avec leurs yeux corporels [35]. A ce niveau de l'expression théophanique, l'iconographie gothique est donc aussi éloignée des images romaines que des visions carolingiennes qui formellement pourraient lui être comparées.

En ce domaine, l'expérience gothique n'est pourtant que l'aboutissement, la réalisation logique et non équivoque d'un mouvement qui a sa source dans une orientation nouvelle de la pensée et de l'iconographie carolingienne. Les premières Visions de Matthieu accompagnées d'un Jugement apparaissent d'ailleurs dans l'art carolingien (en particulier *Carmina Sangallensia VII*). Il conviendrait donc, momentanément, de mettre à part tout ce qui touche à la Vision de Matthieu et d'opposer cette iconographie particulière de la Seconde Parousie aux autres expériences, tant carolingiennes que romanes ou ottoniennes, relatives à la vision de Dieu en théophanie.

Pour résoudre cette apparente contradiction, et pour comprendre ce qui oppose et met pourtant sur le même plan une Seconde Parousie-Jugement dernier de caractère « historique », comme celle des *Carmina Sangallensia,* à une théophanie surnaturelle, comme celles du fol. 6v du *Codex aureus de Saint-Emmeran de Ratisbonne* ou des fol. 5v et 6r du Sacramentaire Paris B.N. lat. 1.141, nous aurons recours, une fois encore, aux travaux de M. J.A. Jungmann sur la christologie carolingienne [36]. Au IXe siècle, la conception romaine et paléochrétienne du Christ-Dieu médiateur s'est en effet complètement effacée devant des conceptions nouvelles qui s'étaient imposées, notamment en Orient et dans l'Espagne visigothique, face à l'arianisme : celles du Christ inaccessible aux hommes dans sa divinité, égal au Père et au saint Esprit. L'accent étant alors porté sur la divinité, sur la distance qui sépare le Christ des hommes, deux

34. R. BERLINER, *Arma Christi,* dans *Münchner Jahrbuch der bildenden Kunst,* 3e série, t. VI, Munich, 1955, p. 35 et suiv.; cf. aussi G. SCHILLER, *Iconographie der christlichen Kunst,* t. II, Gütersloh, 1968, p. 200 et suiv.
35. Cf. *supra,* p. 81, n. 25.
36. Cf. *supra,* n. 15.

solutions iconographiques étaient possibles : tenter de traduire, de signifier la majesté divine et en même temps l'infinie distance qui la sépare des hommes ; considérer d'autre part cette tâche comme impossible (cf. en particulier la position « iconoclaste » de Théodulf d'Orléans dans les *Libri Carolini*) et insister au contraire sur le seul aspect représentable, c'est-à-dire l'humanité du Verbe dans sa première Parousie ; les représentations de celle-ci se répercutant, par contre-coup, sur les images de la Seconde. C'est, semble-t-il, ce qui s'est passé pour le thème qui fait l'objet de cette étude, la Vision de Matthieu. Et nous aurions donc là un processus inverse à celui que nous avions tenté de définir plus haut à propos des images triomphales de l'époque paléochrétienne.

C'est intentionnellement que j'ai choisi comme exemple de la première attitude les illustrations de deux manuscrits de même style, exécutés sous le règne de Charles le Chauve, le Paris B.N. lat. 1.141 et le Munich Clm. 14.000, qui est daté de 870. La première est distribuée sur deux pages se faisant face, les fol. 5v et 6r. Le fol. 6r est consacré à une théophanie du Christ dans la plénitude de sa divinité et de son règne cosmique. Trônant sur le globe, tenant le « *globulus* » et le livre, il est entouré d'une mandorle que flanquent deux séraphins hexaptéryges qui contemplent sa gloire en même temps que les personnifications de Terra et d'Oceanos figurés au-dessous. La page opposée (fol. 5v) est divisée en cinq registres superposés réservés aux témoins de cette apparition : des anges offrant des couronnes, des apôtres, des martyrs, des confesseurs et des vierges avec à leur tête une figure féminine dans l'attitude de l'orante : la Vierge plutôt que l'Ecclesia. Tous ont le regard fixé sur le Christ.

Le second exemple : le Christ trônant en majesté, entouré des quatre grands prophètes et des évangélistes, est particulièrement intéressant, car il est accompagné, en guise de *titulus,* du sixième vers du poème *Aula siderae* de Jean Scot : *Librat* (au lieu de *regnat*) *tetragonum miro* (au lieu de *pulchro*) *discrimine mundum* [37]. Ce long poème qui vient d'être édité par M. M. Foussard, fut écrit pour la dédicace de Sainte-Marie de Compiègne (dont la charte de fondation est de 877, 5 mai) construite à l'imitation de la chapelle palatine d'Aix [38]. Qu'un vers de l'Érigène figure en bonne place (en lettres d'or sur le côté gauche de la mandorle) sur une image de cette importance laisserait donc supposer que le savant irlandais, dont on connaît la sensibilité esthétique, a pu exercer une influence non négligeable sur les milieux artistiques du Palais [39]. Mais il est plus intéressant de rapprocher les deux miniatures dont il vient d'être question des conceptions d'Érigène touchant à la révélation théophanique, et notamment de ce qu'il en dit dans le chapitre V du *Periphyseon* ou *De divisione naturae* [40]. *Finem vero dico eorum, quae sunt, causam, quam naturaliter appetunt omnia. Proinde ipso irrationabili, motu, qui totius mali et malitiae et causa et plenitudo est, bonitatis amplitudine circumscripto penitusque terminato, rationabiliter secundum insitas sibi naturales virtutes humana natura movebitur, sursum versus erecta, causam suam semper appetens, et in paradisum, delicias dico virtutum, quas naturales sibi insitas peccando perdiderat, rediens, escamque ligni vitae, Dei videlicet Verbi contemplationem, ardenter desiderans, divinaeque imaginis ad quam facta est dignitatem recipere festinans.*

Sed quoniam, quod quaerit et appetit, dum recte movetur vel non recte, infinitum est, omnique creaturae incomprehensibile, necessarieque semper quaeritur, ac per hoc semper movetur : semper quaerit, mirabilique pacto quodammodo invenit, quod quaerit, et non invenit, quia invenire non potest. Invenit autem per theophanias, per naturae vero divinae per seipsam contemplationem non invenit. Theophanias autem dico visibilium species, quarum ordine et pulchritudine cognoscitur Deus esse, et invenitur non quid est, sed quia solummodo est, quoniam ipsa Dei natura nec dicitur, nec intelligitur ; superat namque omnem intellectum lux inacessibilis.

37. A ce propos, cf. M. Vieillard-Troiekouroff et M. Foussard, dans *Cahiers Archéologiques,* t. XXI, Paris, 1971, p. 79 et suiv.

38. Texte de fondation (5 mai 877) dans Bouquet, *Recueil des historiens de la Gaule et de la France,* t. VIII, p. 659 ; en abrégé dans Schlosser, *Schriftquellen,* nº 636.

39. Il est intéressant à cet égard de rapprocher de quelques pages du *Codex Aureus* Clm 140.000, en particulier les fol. 15r, 46r, 65r, 97r et surtout 15v, un texte célèbre de l'Érigène où il est question de la lumière dans la contemplation de la nature : après avoir déclaré que tout objet, un caillou ou un morceau de bois, est comme un éclat de lumière qui illumine la création, Jean Scot s'élève à une vision panoramique de la nature constellée de points de lumière. *Hinc est quod universalis hujus mundi fabrica maximum lumen fit ex multis partibus veluti ex multis lucernis compactum* (*Super hierarchiam cael.* I, 1, *PL* 122, col. 129). Cette théorie de l'illumination et du plaisir esthétique, très vive chez l'Érigène, a peut-être trouvé un écho dans le *scriptorium* du Palais dont le *Codex Aureus* est le chef-d'œuvre. On y observe partout, et tout particulièrement sur les cinq folios cités plus haut, des tapis fleuris ou des bandeaux d'encadrement faits d'une multitude de petits points colorés, dont le chatoiement inhabituel est encore rendu plus lumineux par des semis de points blancs. Le fol. 15v (Leidinger, pl. 30), intégralement décoré de cette manière, est un excellent exemple de cette technique décorative peu commune.

40. *PL* 122, col. 912.

Et hoc est quod Psalmista dicit : Quaerite Dominum et confirmamini ; quaerite faciem ejus semper. Et haec est spiritualis via, quae in infinitum tendit, quam purae perfectaeque animae ingrediuntur, Deum suum quaerentes. Nam et virtutes caelestes Deum suum semper quaerunt, in quem prospicere conspicuunt [41].

Cette attitude suppose une conscience aiguë de la distance qui nous sépare de la divinité en dehors de l'Incarnation. Et si nous avons choisi de l'illustrer par un texte de l'Érigène, c'est intentionnellement, car sur ce point précis le philosophe irlandais se situe à l'un des points extrêmes de la tendance qui nous occupe ici. Son témoignage ne serait pourtant qu'exemplaire, s'il n'avait été le protégé de Charles le Chauve, et à sa cour n'avait marqué, directement ou indirectement, les productions artistiques du Palais, ainsi que l'ont montré A.M. Friend [42] et plus récemment mon ami M. Foussard [43]. A la lecture des quelques lignes citées plus haut (texte qui d'ailleurs pourrait être rapproché d'autres passages des œuvres de Jean Scot [44], on comprend alors mieux l'attitude faite de crainte, d'extase et de stupeur des témoins des deux théophanies analysées tout à l'heure. Une telle expression serait inconcevable à Rome entre 400 et 800, alors qu'elle est presque de règle au nord des Alpes, de 850 environ jusqu'au milieu du XIIe siècle au moins. Nous retrouvons en effet des préoccupations similaires dans de nombreux portails romans de caractère théophanique, alors même que leur sujet principal est une vision de la fin des temps débouchant parfois sur une évocation du Jugement dernier [45].

Il y a donc là, semble-t-il, une contradiction flagrante entre l'idée que les artistes et les iconographes se font de la réalité divine et le moment qu'ils ont choisi pour la rendre manifeste aux yeux des hommes. De ce point de vue, l'expression théophanique que nous font connaître entre autres exemples certains portails romans de premier plan et les quelques miniatures carolingiennes précédemment étudiées, représente à mon sens une voie privilégiée, mais isolée dans le temps et l'espace, de l'art chrétien occidental. Il ne s'agit en aucun cas d'une imagerie populaire et didactique, mais d'une tentative de signifier par des images à la fois la grandeur et l'inaccessibilité de la divinité du Christ. La qualité, généralement exceptionnelle, de leur exécution, du choix de leurs motifs iconographiques, et surtout de leur style, montre d'ailleurs suffisamment que nous sommes en présence de monuments de tout premier ordre, aussi riches de réflexion plastique que proprement iconographique.

La Vision de Matthieu s'inscrit en revanche dans un courant plus « populaire », plus didactique, qui se confond pratiquement avec l'évolution générale de l'art médiéval post-carolingien. Entre la fin du VIIIe siècle et le milieu du XIIe siècle, cette image, à des degrés divers, subit naturellement l'influence des autres représentations théophaniques (son caractère « historique » en sera donc atténué), mais au terme de son évolution, entre 1150 et 1250, elle est devenue l'illustration d'un texte, d'un fait historique précis, au même titre que la Crucifixion ou l'Ascension. Le Christ-Juge des portails de Paris ou de Chartres appartient en effet à une scène quasi « terrestre », traduite avec « réalisme », comme les Crucifixions contemporaines. Que le « réalisme » gothique n'ait affecté que des représentations à l'origine symboliques, appartenant à une longue tradition, est une chose évidente, tout particulièrement sensible dans le cas de la Vision de Matthieu. Ce n'est pas une nouvelle image qui est créée à partir du texte, car nous constatons au contraire, dans les différents types choisis pour traduire cet événement, une *confluence* de deux traditions à l'origine distinctes : la tradition iconographique proprement dite qui est faite de signes ou de symboles abstraits pouvant revêtir diverses significations ; la tradition scripturaire, qui dans le cas de la Vision de Matthieu n'a pas beaucoup varié alors même que n'existaient pas, parallèlement, des images la traduisant littéralement. A cette occasion, on doit toutefois reconnaître que le traitement « réaliste » d'un événement christologique, passé ou à venir, n'est que la conséquence de son introduction (pour quelque raison que ce soit) dans le courant historique.

Cela est vrai de la Crucifixion, et, à plus forte raison, de la vision du Christ dans sa gloire, deux images qui, nous l'avons vu, sont très souvent superposées et signifiées simultanément dans l'art triomphal paléochrétien qui s'était distancé des représentations purement événementielles. A la fin de l'époque romane, nous retrouvons cependant, comme

41. *PL* 122, col. 882.
42. *Carolingian art in the abbey of St. Denis,* dans *Art Studies,* t. I, 1923, p. 67-75.
43. Voir plus haut, n. 37.
44. Voir en particulier dans le *De divisione naturae,* la fin du chap. V.
45. Y. CHRISTE, *Les grands portails romans,* p. 154-155.

autrefois dans l'iconographie des IVe, Ve et VIe siècles, le même *binôme,* le même désir de figurer en même temps l'humilité de la première Parousie et la gloire de la Seconde. Le « réalisme », « l'humanité » de la Première Parousie n'est pourtant plus absorbée dans le domaine essentiellement triomphal de la Seconde, car nous pouvons constater, dès le IXe siècle, un mouvement inverse qui peu à peu s'est imposé à l'art occidental : la représentation de la Seconde Parousie et des réalités invisibles du domaine eschatologique dans les catégories et à l'image de la Première. Il suffira de comparer le décor absidal de Sainte-Pudentienne et le Jugement dernier du croisillon sud de Notre-Dame de Chartres pour saisir la différence de mentalité qui s'exprime à partir d'un schéma pratiquement identique. A Rome, la Crucifixion, la Seconde Parousie sont laissées au second plan, subordonnées à une image de gloire de caractère intemporel, alors qu'à Chartres, c'est le supplice du Golgotha et le retour du Christ à la fin des temps qui sont d'abord signifiés. Dans les deux cas, Passion et Gloire sont signifiées simultanément : à Chartres, comme un événement historique accessible à tous ; à Rome, hors du temps, comme une vision paradisiaque réservée aux seuls élus.

La Vision de Matthieu, sous toutes ses formes, convenait admirablement à l'expression « historique » de cette double réalité. En une traduction non équivoque des prédictions du Christ à la veille de sa Passion, elle fournissait à la fois une image « terrestre » de la Gloire, et un rappel du sacrifice rédempteur par la présence des plaies et des instruments de la Passion. Sans être confondues, souffrance et gloire sont à nouveau superposées, et cela par le moyen des mêmes formules, selon les mêmes schémas iconographiques, qui dans un mode tout différent servirent à les représenter dans l'art paléochrétien.

Sur la base de ce qui vient d'être dit, nous pourrions alors reposer le problème si souvent débattu des rapports entre les textes (Livres Saints, commentaires, lectures liturgiques, traités dogmatiques, etc.) et les images proprement dites, qui, directement ou indirectement, nous en proposent une traduction synthétique, voire littérale. Notre analyse de la Vision de Matthieu a toutefois suffisamment montré que les images triomphales n'étaient que très rarement l'illustration précise ou littérale d'un ou d'une série de textes, puisqu'on s'est contenté d'en couler la matière dans des schémas de composition préétablis, auxquels était en outre attachée une signification assez précise qui, loin de disparaître, a subsisté et s'est même renforcée dans de nombreux cas. Cela signifirait-il que la tradition iconographique est distincte, ou n'est pas parallèle à celle qui s'exprime par la parole et par les textes ? Et si l'on adopte ce point de vue, faut-il admettre, comme principe de travail, que textes et images n'ayant pas toujours connu une évolution parallèle, il convient de les étudier séparément, tant que n'apparaît pas de parallélisme évident ? Ce dernier point de vue, qui se voudrait opposé à une attitude plus traditionnelle, aujourd'hui contestée, repose en fait sur le même principe et est en butte aux mêmes contradictions internes que cette dernière, qui admettait, comme point de départ, que les images étaient une sorte d'illustration des textes.

En tant que système de communication, l'iconographie chrétienne est fondée sur l'utilisation d'un code commun, possédant ses propres signes ou symboles, ses propres lois d'organisation, ses règles et surtout ses limites. A elle seule, elle ne constitue pourtant pas un domaine séparé, un « langage » indépendant ou autonome, car elle ne peut se concevoir que par référence à un « système » plus riche et plus complexe : la pensée chrétienne qui s'exprime dans et par les textes. Par principe, et quelle que soit l'indépendance de ses moyens d'expression, le système iconographique ne saurait être que parallèle aux idées essentielles de la dogmatique et de la mentalité contemporaines, que ce parallélisme soit apparent ou non. S'il l'est vraiment, il convient pourtant de se méfier, de vérifier si ce parallélisme qui saute aux yeux est bien réel, n'est pas seulement une illusion. Si en revanche il ne l'est pas, cela ne signifie pas automatiquement que textes et images soient en contradiction ou sans aucun rapport les uns avec les autres, car il faudra chercher ailleurs, et peut-être à un niveau plus élevé, ce qui les met sur un même plan, quoiqu'en des registres différents, car il serait illogique d'admettre comme principe de recherche que l'art chrétien n'est pas un reflet de la pensée chrétienne.

Il conviendrait donc de réexaminer soigneusement tous les symboles et tous les groupes de signes ou de symboles qui composent une image, avant de se reporter aux textes et de *choisir* dans cette Bibliothèque alexandrine qu'est la Patrologie les quelques lignes isolées qui serviront à étayer une signification plus précise ou plus spécialisée, non signifiée directement, donc ajoutée du dehors et en ce sens personnelle et hypothétique. Les travaux de M. E. Dinkler sur la signification des mosaïques absidales de Saint-Apollinaire in Classe et de Sainte-Pudentienne, exemples que je choisis en raison de leur qualité, illustrent bien cette manière de faire, en ce sens qu'après avoir très clairement dégagé la dominante eschatologique de ces images, l'historien allemand fait à mon sens un saut dans l'inconnu en glissant du domaine de l'eschatologie présente ou réalisée dans celui de l'eschatologie future et parousiaque, cette dernière signification n'étant alors étayée que par des textes, et non plus par des signes concrets ne prétant pas à confusion [46].

Le code iconographique, et les « idéogrammes » mi-réalistes, mi-abstraits que sont ses symboles, sont en effet beaucoup moins souples, d'un agencement plus difficile que ces signes innombrables et totalement abstraits que sont les mots d'un commentaire ou d'un traité dogmatique. Leur articulation est donc moins riche de possibilités (ce qui naturellement augmente les risques de confusion dans l'interprétation), car il arrive souvent que le même symbole ou le même groupe de symboles signifient tout autre chose, suivant le contexte historique, architectural et surtout iconographique auquel ils appartiennent.

Pour illustrer cette difficulté, et mettre fin à ce chapitre, j'aurai recours à un exemple précis : la Déisis. Ce mot, et surtout la signification précise qu'il implique et que par conséquent il communique à l'image qu'il désigne, apparaît on le sait relativement tard, au milieu du XIe siècle, dans le contexte du Jugement dernier byzantin [47]. Peut-on donc en déduire que toutes les images antérieures, avec le Christ entre la Vierge et saint Jean-Baptiste, sont des Déisis, des allusions au Jugement ? Souscrivant entièrement aux réserves de M. de Bogyay, je me poserai d'abord cette question : comment, pour quelles raisons la Vierge et le Précurseur ont-ils été désignés comme les intercesseurs privilégiés de la Seconde Parousie byzantine ? En vertu de quelles prérogatives et sur la base de quels textes ? La réponse, semble-t-il assez simple, se trouve dans les Évangiles de l'Enfance et dans le prologue de l'Évangile de saint Jean. La Vierge, en tant que Mère de Dieu, et Jean-Baptiste sont en effet les premiers hommes à avoir reconnu et salué la Venue du Verbe incarné, Dieu Emmanuel, la première à l'occasion de la conception ; le second à l'occasion de la Visitation, dans les entrailles de sa mère (*Luc* I, 41-45). Il est donc naturel qu'après avoir été les premiers témoins de la Première Parousie, ils aient été désignés comme les intercesseurs principaux de la Seconde, ce dernier rôle n'étant en fait qu'une spécialisation momentanée du rôle qu'ils ont joué comme un instrument et comme témoins de l'Incarnation. En bonne méthode, on ne devrait donc pas parler de Déisis à propos des deux médaillons de l'arc triomphal de Sainte-Marie du Sinaï ou du mur de la chapelle San Zeno auprès de Sainte-Praxède de Rome, où ces deux personnages, qui par ailleurs ne font aucun geste de supplication, sont associés à une théophanie surnaturelle, la Transfiguration. Au Sinaï, et à Rome, sous le pontificat de Pascal Ier, ce n'est donc pas une Déisis, à quelque titre que ce soit, qui fut représentée, mais une sorte de traduction par l'image du prologue de l'Évangile de Jean (où par ailleurs le Précurseur tient une place importante) : « Au commencement était le Verbe, et le Verbe était avec Dieu, et le Verbe était Dieu... Et le Verbe s'est fait chair et il a habité parmi nous, et nous avons vu sa gloire, gloire qu'il tient de son Père, comme Fils unique ».

Il est d'ailleurs possible de soumettre cette interprétation à une sorte de contre-épreuve. Pourquoi et à quel titre la Vierge et Jean l'Évangéliste sont-ils devenus les intercesseurs privilégiés de nombreux Jugements gothiques ? En raison de leur présence sur le Golgotha, au moment de la Crucifixion, mort et victoire cosmique du Verbe rédempteur, qui à la fin des temps, réapparaît à la face du monde à la fois comme le Fils de l'homme triomphant de la Seconde

46. M. Dinkler rapproche ainsi d'un texte de Cyrille de Jérusalem les 99 étoiles du *clipeus* de Classe, et en déduit qu'il faut interpréter ces étoiles comme des symboles de 99 anges qui accompagneront le Christ de la Seconde Parousie. Cette interprétation, aussi séduisante soit-elle, n'exclut pourtant pas le recours à une exégèse beaucoup plus importante et surtout plus répandue que celle de Cyrille : celle qui reconnaît dans le chiffre 99, les anges (le troupeau des brebis) de Dieu restés fidèles et dont le nombre devra être complété par la rédemption de l'homme de manière à constituer la centaine. Cette dernière interprétation s'accorde mieux, à mon sens, avec une image de la croix que complète la mention SALUS MUNDI — ΙΧΘΥΣ.

47. Th. von BOGYAY, article *Déisis,* dans *Lexikon der christlichen Ikonographie,* t. I, Rome, 1968, col. 494-9. Voir également du même auteur *Deesis und Eschatologie,* dans *Polychordia, Festschrift F. Dölger,* t. II, Amsterdam, 1967, p. 59-72. « Die Deesis des 10. Jahrhunderts ist also kein abstrakt-symbolische Kurzfassug des Jüngsten Gerichts. Sie ist vielmehr die Darstellung der obersten paradiesischen Hierarchie, eine tiefsinnige Himmelsvision. Das Erscheinen der beiden Fürbitten im Jüngsten Gericht bedeutet nur eine spezifische Vermindung des Motifs ». Le Père C. WALTER, dans deux articles importants de la *Revue des études byzantines* (*Two notes on the Deësis,* t. XXV, Paris, 1968, p. 311 et suiv., et *Further notes on the Deësis,* t. XXVII, Paris, 1970, p. 161 et suiv.) est parvenu à des conclusions similaires.

Parousie et comme le Crucifié de la Première. « *Nam quidam dicunt, quod sicut in passione Christi et in dispensatione crucis sole deficiente a lumine, tenebrae factae sunt super omnem terram, sic et in secundo adventu Christi, apparente in coelo ipso eodemque signo Filii hominis, deficiet rursus solis lumen, ac deinde lunae et stellarum, prae multa claritate et virtute signi illius* »[48].

48. PASCHASE RADBERT, *In Mattheum* XI, *PL* 120, col. 816D-817A.

CONCLUSIONS

Au terme de cette analyse, dont l'objet essentiel fut de définir les origines formelles et le développement tout à la fois formel et sémantique de la Vision de Matthieu, nous réunirons brièvement les conclusions provisoires émises çà et là ou à la fin de chaque chapitre. Ainsi que nous avons pu le constater, les différents schémas de composition qui servirent de base à cette image ont été conservés dans leurs lignes essentielles et ont servi à signifier la Victoire du Christ par la croix, théophanies cosmiques et éternelles dans certains cas, épiphanies « historiques » appartenant à la Première ou à la Seconde Parousie dans d'autres cas. De même que les schémas, l'idée de victoire qui leur était attachée dans l'art impérial romain s'est-elle aussi conservée, ayant été appliquée non plus à un souverain temporel, mais au Christ *Rex gloriae et semper victor* des deux Parousies.

Les images du niveau paléochrétien étant pour la plupart de caractère intemporel, céleste ou paradisiaque, il était évident que les éléments « historiques » du Jugement n'ont pu se développer ou prendre place autour d'elles. Le Jugement n'a donc pu se constituer que dans la mesure où ces images ont quitté le registre de l'intemporalité pour celui de l'histoire ; de l'eschatologie présente, réalisée ou se réalisant pour celui de l'eschatologie future que j'ai appelée parousiaque ou deutéro-parousiaque.

L'une des mutations les plus efficientes qui les aient affectées est donc bien celle-ci : ce glissement progressif, puis décisif, du domaine de l'intemporalité à celui plus limité de l'apocalyptique, au sens moderne et imagé de ce terme.

A cet égard, l'apport carolingien me paraît essentiel : c'est en effet entre la seconde partie du VIIIe siècle et le milieu du IXe siècle qu'il faut situer ce moment décisif (pour l'iconographie), la charnière entre les images du second et du troisième niveau, quand bien même il existe des exemples plus anciens, perdus ou conservés (par exemple la Seconde Parousie des portes de Sainte-Sabine — dans l'interprétation de E.H. Kantorowicz — l'arc triomphal de Saint Michel in Affricisco, le cycle apocalyptique du réfectoire de l'abbaye de Warmouth, etc.) où ce processus est déjà entamé.

Si l'on adopte ce point de vue, on comprend alors mieux que la Seconde Parousie, avec l'ostentation des plaies et des instruments de la Passion, la résurrection des morts et la séparation des bons et des mauvais, ne se soit constituée organiquement qu'à partir de la fin du VIIIe siècle, alors qu'avant même qu'elle eût été représentée, on l'avait décrite, et souvent avec précision, dans des textes plus anciens, homélies ou commentaires. Il est clair en effet qu'une Déisis, qu'une résurrection des morts ou qu'une image de l'enfer n'avaient rien à faire autour d'une théophanie céleste, sur les prairies paradisiaques de Rome, de Ravenne ou de Salonique. Il est évident, d'autre part, que voyant une image de la félicité paradisiaque, on ne pouvait pas ne pas songer à la vision béatifique future et au sort des mauvais qui en seraient exclus. On pouvait donc en parler, mais ce n'est pas cet instant qui fut retenu par l'iconographie paléochrétienne. Le Christ des absides est en effet figuré dans le ciel, dans la Jérusalem céleste des justes, non pas à l'horizon de l'histoire, au moment de la Seconde Parousie, ce qui sera le cas au Nord des Alpes à partir de l'époque carolingienne.

Si l'on adopte la solution que j'ai proposée, à savoir que ce n'est pas le texte de Matthieu qui a créé les assises iconographiques de la Seconde Parousie, qui par la suite s'y référera, mais l'art triomphal romain, on peut alors se dispenser d'identifier les schémas iconographiques de Sainte-Pudentienne ou de l'arc d'Eginhard avec ce qu'il est dit du Retour du Fils de l'homme ou du Juge en *Matth.* XIX, XXIV et XXXV et *Ap.*

XX, 11. Si l'arrière-plan romain n'existait pas, l'adéquations de ces images et du retour selon Matthieu se défendrait mieux, mais comme il ne s'agit en fait que d'une adaptation de l'iconographie du pouvoir cosmique des empereurs à celle du Christ intronisé par sa Passion, sa Résurrection et son Ascension, le problème se trouve posé différemment.

J'ai tenté de le résoudre en utilisant pour cela une méthode inspirée librement de la sémiologie contemporaine, et en partant du principe qu'on ne peut valablement recourir aux textes que dans la mesure où un signe concret, inexplicable par d'autres signes, concrets eux aussi, indique dans quel registre et à quel niveau de la *Patrologie* il faut chercher des solutions nouvelles. Constamment, je me suis donc assigné comme but et comme limite, d'isoler tout d'abord un groupe de signes ou de symboles invariants (par exemple le buste au-dessus d'une croix) afin d'en étudier le contexte ou les applications variées dans un registre synchronique. Dans un second temps, les résultats de cette analyse ont été transposés dans le registre de la diachronie, où je me suis donné à nouveau comme limite de ne pas chercher d'explications dans les textes qui ne fussent pas confirmées ou indiquées d'abord par la seule analyse iconographique. Dans de nombreux cas, j'ai également soumis mes conclusions à une sorte de contre-épreuve, en étendant mon analyse non seulement à l'évolution du noyau théophanique proprement dit, mais à celle de ses éléments périphériques, que ceux-ci aient été des additions ou qu'ils aient été présents dès l'origine. Ce qui a été dit de l'ostentation de la croix, des « instruments et des plaies », de la croix sur le trône ou de la Déisis (avec la Vierge, saint Jean Baptiste ou saint Jean l'Évangéliste) peut être rangé dans ces essais de vérification.

Mais cette dernière étude, par-delà ses résultats iconographiques particuliers, pourrait ouvrir la voie à un essai d'interprétation plus systématique de l'iconographie et de l'art chrétien des IVe-XIIIe siècles. Ayant pu isoler, à maintes reprises, des éléments invariants, des signes ou des symboles stables et constants, dont la combinaison avec d'autres signes ou symboles eux-mêmes invariants, constituait l'essentiel du message iconographique, nous serions donc en droit de reconnaître dans l'art chrétien non plus un simple moyen d'expression soumis aux aléas de l'interprétation personnelle, mais un véritable système de communication, extra-linguistique certes, mais que nous pourrions traiter comme tel, objectivement et scientifiquement, après analyse de ses éléments invariants et des lois qui organisent ces éléments stables et constants en structures plus vastes. Resterait pourtant à savoir si nous avons à faire à un système de signes abstraits ou plutôt à un système de symboles, au sens saussurien de ce mot. Les deux, semble-t-il, doivent être envisagés, mais la part de l'un et de l'autre devrait être déterminée avec précision. Il reste cependant acquis, je crois, que l'iconographie chrétienne, du moins dans sa phase paléochrétienne et médiévale ancienne, peut et doit être considérée comme un système de communication, et non plus comme un simple moyen de communications, ou pire, et en dépit de ce qu'en dit Grégoire le Grand, comme un ersatz des textes, à usage des illettrés.

P.S. — Cette étude devant être suivie d'une enquête parallèle sur l'évolution des images du Règne et du Royaume de Dieu en rapport avec l'*Apocalypse de Jean,* c'est à la fin de ce second volume que seront réunis les *Indices* communs.

BIBLIOGRAPHIE

Une bibliographie exhaustive, étant donné l'étendue d ı sujet et la diversité des monuments envisagés, n'aurait pas de sens, car elle tiendrait à peine dans un volume et rest rait néanmoins incomplète. On trouvera donc en notes les références précises relatives à des problèmes ou à des monu nents particuliers, la bibliographie qui suit n'ayant trait qu'à des études de caractère général.

I. — *Sur l'art impérial romain et byzantin, et sa théologie du pouvoir.*

A. ALFÖLDI, *Die monarchische Repräsentation im römischen Kaiserreiche,* Darmstadt, 1970.

J. DEÉR, *Das Kaiserbild im Kreuz. Ein Beitrag zur politischen Theologie des frühen Mittelalters,* dans *Schweizer Beiträge zur allgemeinen Geschichte,* t. XIII, 1955, p. 48-112.

J. GAGÉ, Σταυρὸς νικοποιός, *la victoire impériale dans l'Empire chrétien,* dans *Revue d'histoire et de philosophie religieuse,* t. XIII, Strasbourg, 1933, p. 370-400.

J. GAGÉ, *La théologie de la victoire impériale,* dans *Revue historique,* t. CLXXI, Paris, 1933.

H. KRUSE, *Studien zur offiziellen Geltung des Kaiserbildes im römischen Reiche,* Paderborn, 1934.

F. PASCHOUD, *Roma aeterna. Étude sur le patriotisme romain dans l'Occident latin à l'époque des grandes invasions,* Rome, Institut suisse, 1967.

G.-C. PICARD, *Les trophées romains,* Paris, 1957.

O. TREITINGER, *Die oströmische Kaiser - und Reichsidee nach ihrer Gestaltung im höfischen Zeremoniell,* réed., Darmstadt, 1956.

II. — *Sur le transfert de cette symbolique à l'art paléochrétien et médiéval.*

P. BESKOW, *Rex gloriae. The kingship of Christ in the early church,* Stockholm, 1962.

A. GRABAR, *L'empereur dans l'art byzantin. Recherches sur l'art officiel de l'Empire d'Orient,* Strasbourg, 1936.

J. KOLLWITZ, *Oströmische Plastik der theodosianischen Zeit,* Berlin, 1941.

J. KOLLWITZ, *Das Bild von Christus dem König in Kunst und Liturgie der christlichen Frühzeit,* dans *Theologie und Glaube,* t. I, 1947-1948. p. 95-117.

J. LECLERCQ, *L'idée de la royauté du Christ au Moyen Age,* Paris, 1959.

K. WESSEL, *Christus rex, Kaiserkult und Christusbild,* dans *Jahrbuch des deutschen archäologischen Instituts,* t. LXVIII, Berlin, 1953, col. 118 et suiv.

III. — *Sur la croix et les staurophanies.*

J. BOSIO, *La trionfante e gloriosa croce,* Rome, 1610.

C. CECCHELLI, *Il trionfo della croce,* Rome, 1954.

E. DINKLER, *Bemerkungen zum Kreuz als Tropaion,* dans *Mullus, Festschrift Th. Klauser,* Münster in W., 1964, p. 71 et suiv.

E. DINKLER, *Die Apsismosaik von S. Apollinare in Classe,* Köln und Opladen, 1964.

E. DINKLER, *Signum crucis,* Tübingen, 1967.

F.J. DÖLGER, *Beiträge zur Geschichte des Kreuzzeichen,* dans *Jahrbuch für Antike und Christentum,* t. I-IX, Münster in W., 1958-1966.

A. FROLOV, *La croix dans le ciel,* dans *Revue des études slave ,* t. XXVII, 1951, p. 104 et suiv.

B. LEONI, *La croce e il suo signo,* Vérone, 1968.
E. PETERSON, *La croce e la preghiera verso l'oriente,* dans *Ephemerides liturgicae,* t. LIX, Rome, 1945, p. 58-68.
P. STOCKMEIER, *Theologie und Kult des Kreuzes bei Johannes Chrysostomus,* Trier, 1967.
J. VOGT, *Berichte über Kreuzeserscheinungen aus dem. 4. Jahrhundert,* dans *Mélanges H. Grégoire,* Bruxelles, t. I, 1949, p. 593-606.

IV. — *Sur l'iconographie des théophanies, de la Seconde Parousie et du Jugement dernier.*

G. BANDMANN, *Ein Fassadenprogramm des 12. Jahrhunderts uud seine Stellung in der christlichen Ikonographie,* dans *Das Münster,* t. V, 1-2, Munich, 1952, p. 1 et suiv.
B. BRENK, *Tradition und Neuerung in der christlichen Kunst des ersten Jahrtausends. Studien zur Geschichte des Weltgerichtsbildes,* Wien, 1966.
Y. CHRISTE, *Les grands portails romans. Études sur l'iconologie des théophanies romanes.* Genève, 1969.
A. GRABAR, *Martyrium. Recherches sur le culte des reliques et l'art chrétien antique,* t. II, Paris, 1946.
E. KANTOROWICZ, *The king's advent and the enigmatic panels on the doors of Santa-Sabina,* dans *Art Bulletin,* t. XXVI, 4, 1944, p. 207-231.
F. van der MEER, *Majestas Domini. Théophanies de l'Apocalypse dans l'art chrétien,* Rome, 1938.
G. MILLET, *La dalmatique du Vatican,* Paris, 1945.
J. FOURNÉE, *Le Jugement dernier,* Paris, 1964.
W. PAESELER, *Die römische Weltgerichtstafel im Vatican...,* dans *Kunstgeschichtliches Jahrbuch der Bibliotheca Hertziana,* t. II, 1938, p. 311-394.

V. — *Sur l'iconographie paléochrétienne et médiévale en rapport avec les monuments analysés dans ce travail.*

H. von CAMPENHAUSEN, *Die Passionssarkophage ; zur Geschichte eines altchristliches Bilderkreises,* dans *Marburger Jahrbuch für Kunstwissenschaft,* t. V, 1929.
M. van BERCHEM et E. CLOUZOT, *Mosaïques chrétiennes du IVe au Xe siècle,* Genève, 1924.
F.W. DEICHMANN, *Früchristliche Bauten und Mosaiken von Ravenna,* Baden-Baden, 1958.
F.W. DEICHMANN, *Ravenna, Haupstadt des spätantiken Abendlandes,* Wiesbaden, 1969.
R. DELBRÜCK, *Die Consulardiptychen und verwandte Denkmäler,* Berlin-Leipzig, 1927-1928.
F. GERKE, *Die Zeitbestimmung der Passionssarkophage,* dans *Archaeologiai ertesitö,* t. LII, Berlin-Budapest, 1940.
A. GRABAR, *Les ampoules de Terre Sainte,* Paris, 1958.
A. GRABAR, *Christian iconography. A study of its origins,* Princeton, 1968.
A. GRABAR, *L'art de la fin de l'Antiquité et du Moyen Age,* Paris, 1968.
C. IHM, *Die Programme der christlichen Apsismalerei vom vierten Jahrhundert bis zur Mitte des achten Jahrhunderts,* Wiesbaden, 1960.
G. MATTHIAE, *Mosaici medioevali delle chiese di Roma,* Rome, 1967.
C.O. NORDSTRÖM, *Ravennastudien. Ideengeschichtliche und ikonographische Untersuchungen über die Mosaiken von Ravenna,* Stockholm, 1967.
J. von SCHLOSSER, *Schriftquellen zur Geschichte der karolingischen Kunst,* Wien, 1896.
W.F. VOLBACH, *Elfenbeinarbeiten der Spätantike und des frühen Mittelalters,* 2e éd., Mainz, 1952.
C. WALTER, *L'iconographie des conciles dans la tradition byzantine,* Paris, 1970.

VI. — *Sur le problème de l'eschatologie et sur l'évolution de la christologie.*

TH. von BOGYAY, *Deesis und Eschatologie,* dans *Polychordia Festschrift F.J. Dölger,* t. II, Amterdamm, 1967, p. 59-72.
J. COMBLIN, *Le Christ dans l'Apocalypse,* Paris, 1965.
J. COPPENS, *L'espérance messianique,* dans *Revue des sciences religieuses,* t. XXXVIII, fasc. 2 et 3, Paris, 1963.
J. COPPENS, *Le messianisme royal,* Paris, 1968.
A. FEUILLET, *L'Apocalypse, état de la question,* Paris-Bruges, 1963.
T. HOLTZ, *Die Christologie der Apokalypse des Johannes,* Berlin, 1963.
J.A. JUNGMANN, *Die Stellung Christi im liturgieschen Gebet,* München, 1925.
J.A. JUNGMANN, *La lutte contre l'arianisme germanique et l'orientation nouvelle de la civilisation religieuse au début du Moyen Age,* dans *Tradition liturgique et problèmes actuels de pastorale,* Lyon, 1962, p. 15-86.

TABLE DES MATIÈRES

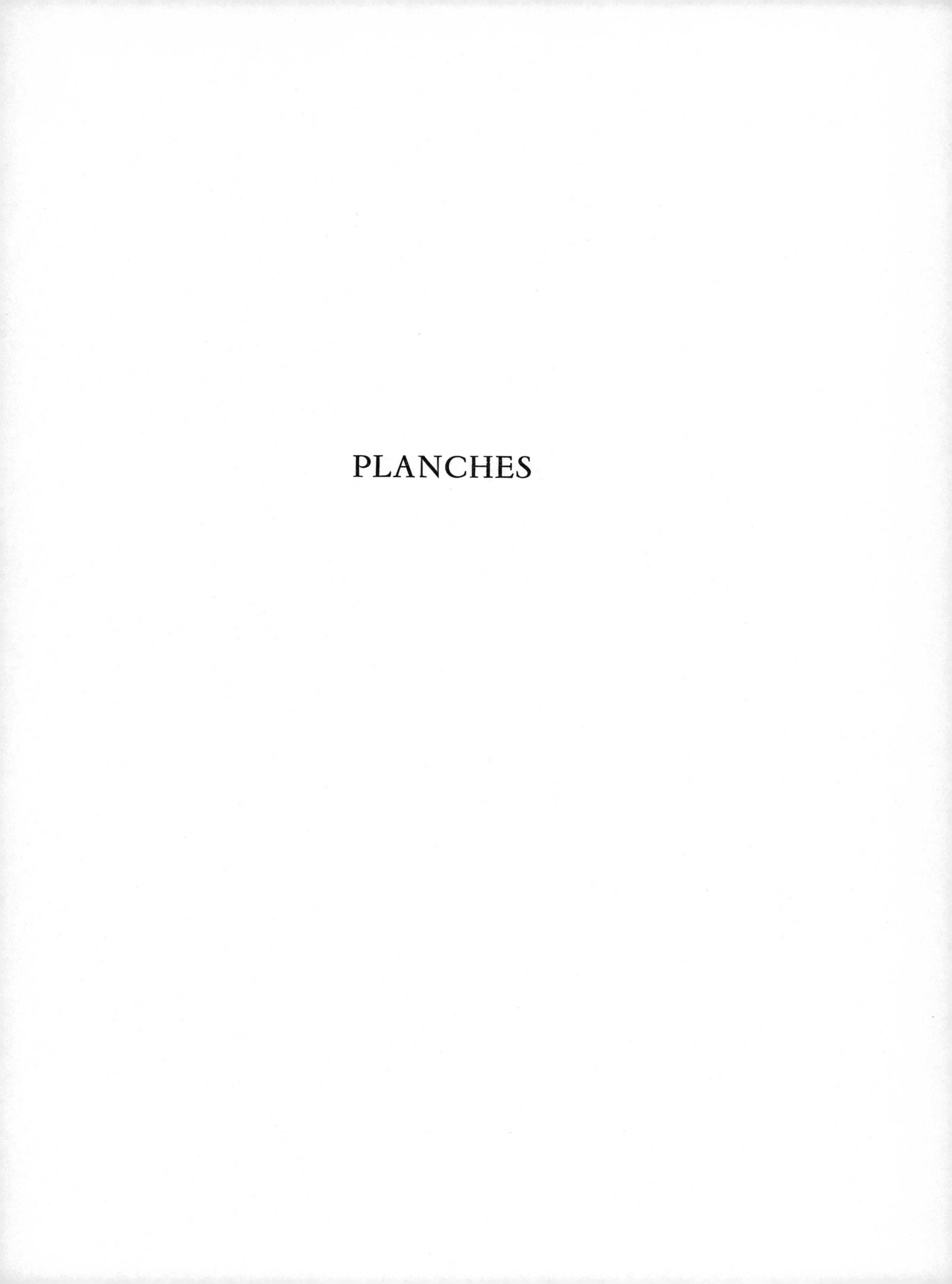

PLANCHES

FIG. 1. — Bobbio, trésor de Saint-Colomban, ampoule N° 3.

FIG. 2. — Monza, trésor de la collégiale, ampoule N° 12.

FIG. 3. — Monza, trésor de la collégiale, ampoule N° 7.

FIG. 4. — Monza, trésor de la collégiale, ampoule N° 10.

FIG. 5. — Bobbio, trésor de Saint-Colomban, ampoule N° 1.

FIG. 6. — Bobbio, trésor de Saint-Colomban, ampoule N° 2.

FIG. 7. — Labarum d'Honorius du diptyque de Probus à Aoste.

FIG. 8. — Monnaie constantinienne de Constantinople.

FIG. 9. — Vienne, Kunsthistorisches Museum, intaille.

FIG. 10. — Paris, Cabinet des Médailles de la B.N., camée.

FIG. 11. — Camée aujourd'hui perdu, autrefois à Moscou (?).

FIG. 12. — Oberlin (Ohio), Art Museum, cristal taillé.

FIG. 13. — Munich, Nationalmuseum, médaillon monté en fibule.

FIG. 14. — Médaillon monté en fibule de Pécs Gyarvanos (Hongrie).

FIG. 15. — Rome, Vatican, Museo Pio Cristiano, médaillon de bronze.

FIG. 16. — Naples, Musée national, médaillon d'or.

FIG. 17. — Sceau de pierre trouvé à Salonique.

FIG. 18. — Le Caire, Musée, bracelet-amulette.

FIG. 19. — Erevan, Matenodaran, stèle provenant de Dvin.

FIG. 20. — Rome, San Stefano Rotondo, abside.

FIG. 21. — Rome, San Giovanni in Laterano, abside.

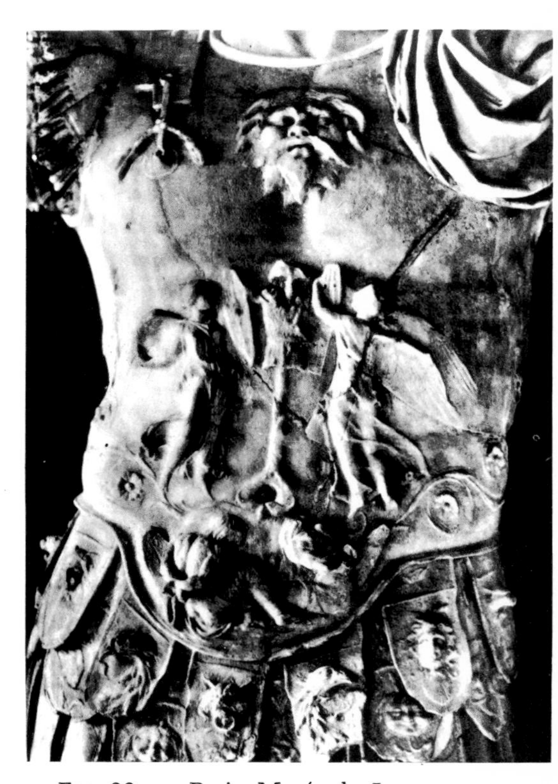

FIG. 22. — Paris, Musée du Louvre, statue cuirassée (flavienne ?) à tête de Trajan.

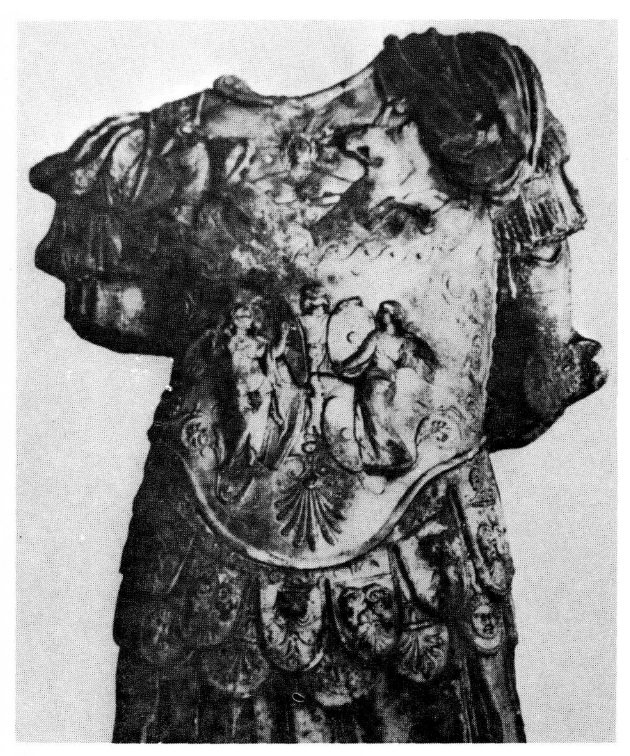

FIG. 23. — Statue cuirassée provenant de Salone.

FIG. 24. — Orange, arc romain, face est.

FIG. 25. — Rome, Vatican, sarcophage N° 171 de l'ancien Musée du Latran.

FIG. 26. — Manosque, Notre-Dame, sarcophage paléochrétien.

FIG. 27. — Sarcophage aujourd'hui perdu, d'après Bosio.

FIG. 28. — Arles, Musée d'art chrétien, sarcophage paléochrétien.

FIG. 29. — Rome, Vatican, sarcophage N° 174 A de l'ancien Musée du Latran.

FIG. 30. — Paris, anc. collection Marquet de Vasselot, fragment de diptyque chrétien à cinq compartiments (partie centrale).

FIG. 31. — Rome, Vatican, tableau à la détrempe représentant l'ancien décor absidal de Saints-Nérée-et-Achille de Rome.

FIG. 33. — Vienne, Kunsthistorisches Museum, Gemma Augustea.

FIG. 32. — Tripoli, arc tétrapyle de Marc-Aurèle.

FIG. 34. — Verona, San Zeno, panneau des portes de bronze.

FIG. 35. — Cambridge, Musée archéologique, plaque d'ivoire.

FIG. 36. — Pise, baptistère de la cath., le Jugement dernier de la chaire de N. Pisano.

FIG. 37. — Sienne, cathédrale, le Jugement dernier de la chaire de N. et G. Pisano.

FIG. 38. — Sienne, Pinacothèque, Allégorie de la Croix de P. Lorenzetti.

FIG. 39. — Padoue, Arena, le Jugement dernier de Giotto.

FIG. 40. — Grossetto, Musée diocésain, panneau peint.

FIG. 41. — New York, Metropolitan Museum, The Cloisters Collection, triptyque-reliquaire mosan.

FIG. 42. — Angoulême, cath. Saint-Pierre, façade occidentale.

FIG. 44 — Rome, Bibl. vat., Cod. 5.407, l'abside de Sainte-Pudentienne.

FIG. 43. — Ost Vank (Géorgie turque), pilier sculpté.

FIG. 45. — Milan, Saint-Ambroise, sarcophage paléochrétien.

FIG. 46. — Ravenne, Musée national, volet de diptyque chrétien à cinq compartiments dit de Murano.

FIG. 47. — Paris, Cabinet des médailles, volet de diptyque de Saint-Lupicin.

FIG. 48. — Erevan, volet du diptyque d'Etschmiatzin.

FIG. 50. — Londres, Victoria and Albert Museum, diptyque consulaire d'Oreste.

FIG. 49. — Liverpool, diptyque consulaire de Clementinus.

FIG. 51. — Monza, trésor de la cath., diptyque consulaire retaillé.

FIG. 55. — Base d'une colonne aujourd'hui perdue d'après Ducange.

FIG. 52, 53, 54. — Cambridge, Trinity College, dessins des faces ouest, sud et est de la base de la colonne d'Arcadius.

FIG. 56. — Paris, B.N., ms. fr. 10.440, fol. 45, dessin du reliquaire d'Eginhard.

FIG. 57. — Rome, Bibl. vat., reg. lat. 5.729, le Jugement dernier de la Bible dite de Farfa.

FIG. 58. — Beaulieu, Saint-Pierre, portail méridional.

FIG. 59. — Conques, Sainte-Foy, portail occidental.

FIG. 60. — Chartres, cath. Notre-Dame, le Jugement dernier du croisillon sud.

FIG. 61. — Gülli Dere, chapelle nord du Pigeonnier, la Seconde Parousie.

FIG. 62, 63. — Toulouse, Musée des Augustins, chapiteau N° 119, faces opposées.

FIG. 64, 65. — Genève, cath. Saint-Pierre, chapiteaux se faisant face du bas-côté sud.

FIG. 68. — Aureus de Magnence.

FIG. 66, 67. — Solidus de Justinien 1[er].

FIG. 69 — Saint-Michel de Burgfelden, le Jugement dernier.

FIG. 70. — Saint-Denis, portail occidental.

FIG. 71. — Saint-Nectaire, chapiteau du déambulatoire.

FIG. 72. — Saint-Jacques de Compostelle, portail occidental.

FIG. 73. — Romulus tropéophore, peinture de Pompei.

FIG. 74. — Constantin tropéophore, monnaie constantinienne.

FIG. 75. — Londres, Victoria and Albert Museum, ivoire paléochrétien provenant d'une cassette.

FIG. 76. — Ravenne, Musée national, cassette de marbre.

FIG. 77. — Monnaie constantinienne, revers au type *princeps juventutis*.

FIG. 78. — Genève, Musée d'Art et d'Histoire, missorium de Valentinien II (?).

FIG. 79. — Ravenne, baptistère de la cathédrale, stuc paléochrétien.

FIG. 80. — Ravenne, chapelle archiépiscopale, Christ triomphant (restauré).

FIG. 81. — Rome, Vatican, sarcophage paléochrétien.

FIG. 82. — Paris, B.N., Sacramentaire de Drogon, l'Ascension.

FIG. 83. — Montceaux-l'Étoile, tympan occidental.

FIG. 84. — Londres, British Museum, fol. 9v du Bénédictionnaire d'Aethelwold.

FIG. 85. — Saint-Gall, Stiftbibl. Ms 51, p. 267, Crucifixion et Seconde Parousie.

FIG. 86. — Turin, Bibl. nat., O.IV. 20, l'Ascension et la Seconde Parousie.

FIG. 88. — Valentinien III en consul.

FIG. 87. — Diptyque consulaire d'Anastase.

FIG. 89. — Ravenne, baptistère de la cathédrale, stuc paléochrétien.

FIG. 90. — Ravenne, « mausolée » de Galla Placidia, le Christ berger et empereur.

FIG. 92. — Constantin trônant entre ses fils, monnaie constantinienne.

FIG. 91. — Paris, B.N., lat 266, fol. Iv, Lothaire trônant.

FIG. 93. — Londres, British Museum, Psautier dit d'Aethelstan, la Seconde Parousie.

FIG. 94. — Rome, Pinacothèque vaticane, tondo, Christ triomphant de la Seconde Parousie.

FIG. 95. — Munich, Staatsbibl., Cod. lat. 4452, fol. 202, Jugement dernier.

FIG. 96. — Rome, Saint-Silvestre auprès des Quatre-Saints-Couronnés, Seconde Parousie.

FIG. 97. — Paris, Notre-Dame, portail occidental, le Jugement dernier.

FIG. 98. — Poitiers, cath. Saint-Pierre, le Jugement dernier.

FIG. 99. — Ravenne, Saint-Vital, ensemble absidal.

FIG. 100. — Ravenne, Saint-Apollinaire-le-Neuf, Christ trônant.

FIG. 101. — Madrid, Académie, missorium de Théodose 1er.

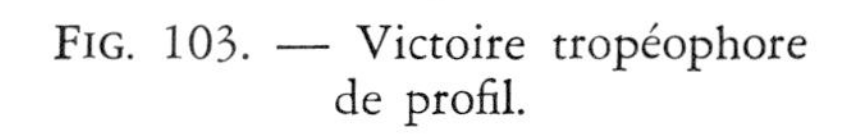

FIG. 103. — Victoire tropéophore de profil.

FIG. 102. — Istamboul, obélisque de Théodose 1er, face nord-est.

FIG. 104. — Victoire tropéophore de face.

FIG. 105. — Saint-Savin-sur-Gartempe, tympan peint dans le porche.

FIG. 106. — Reichenau-Oberzell, contre-abside de Saint-Georges, la Seconde Parousie.

FIG. 107. — Victoire tropéophore de Carthage.

FIG. 108. — Chantilly, Musée Condé, fol. 33r du Psautier d'Ingeburge.

FIG. 109. — Paris, Louvre, cristal taillé, VIe-VIIe s.

FIG. 110. — Paris, B.N., grec 74, fol. 93v.

FIG. 111. — Londres, Victoria and Albert Museum, ivoire byzantin (X[e]-XI[e] s.).

FIG. 112. — Salonique, Panagia ton Chalcheon, narthex, le Jugement dernier.

FIG. 113. — Verceil, cod. CLXV, vers 840, Constantin et Théodose II assistant au concile de Nicée et d'Éphèse.

FIG. 114. — Münster, église Saint-Jean, le Jugement dernier.

FIG. 115. — Arles, Musée d'Art chrétien, sarcophage paléochrétien.

FIG. 116. — Istamboul, obélisque de Théodose 1er, face sud-ouest.

FIG. 117. — Istamboul, obélisque de Théodose 1er, face nord-ouest.

Fig. 118. — Milan, Bibl. Ambrosiana, Ilias Ambr., Min. I.

Fig. 119. — Milan, Bibl. Ambrosiana, Ilias Ambr., Min. II.

Fig. 120. — Milan, Bibl. Ambrosiana, Ilias Ambr., Min. III.